« Le roman est une œuvre d'imagination en prose qui présente et fait vivre des personnages donnés comme réels et fait connaître leur destin, leur psychologie, leurs aventures » (*Dictionnaire Le Robert*).

Ce livre a pour point de départ les éléments publics d'un fait divers réel. Œuvre de fiction, il utilise des éléments parfois réels, parfois imaginaires. Le lecteur qui pourrait identifier le crime ayant servi d'origine au roman où un jeune homme fut assassiné dans des conditions horribles et sans aucune raison doit être informé que le comportement, le destin, l'histoire et les paroles prêtés dans le livre à chacun des personnages, et en particulier à la victime, sont purement imaginaires.

UN FAIT DIVERS

DU MÊME AUTEUR

Sortie d'usine, *roman, 1982.*
Limite, *roman, 1985.*
Le crime de Buzon, *roman, 1986.*
Décor ciment, *roman, 1988.*
Calvaire des chiens, *roman, 1990.*
La folie Rabelais, *essai, 1990.*
Parking, *1996.*
Impatience, *1998.*

FRANÇOIS BON

UN FAIT DIVERS

LES ÉDITIONS DE MINUIT

© 1993 by LES ÉDITIONS DE MINUIT
7, rue Bernard-Palissy, 75006 Paris
www.leseditionsdeminuit.fr

ISBN : 978-2-7073-1471-0

L'homme. La haine n'est pas passagère. La haine est celle de l'homme floué qu'on contient et dont on ne voulait pas qu'il devienne la façade pleine de votre être. Ce qu'ils vous reprochent on l'a fait : pour une fois que le portrait que de soi-même on donne est clair, ce n'est pas celui qu'on voudrait. On se passe les mains sur le front, la bouche, les yeux, ça ne correspond pas. Voilà pourtant ce que sur vos épaules on vous plaque. Arrivé au Mans le matin, depuis Marseille, en Mobylette. Dans la journée j'ai cherché. Avenue René-Gasnier les fenêtres étaient muettes, j'ai guetté. Et quand j'ai aperçu celle qui encore était liée à moi par le mariage, c'était au bistrot où l'autre, sa copine, travaillait. Elles rentreraient ensemble. Je ne cherche pas excuse, pardon ni justification, leur procès qu'ils le fassent. Quand on entre en tel tunnel on ne s'occupe pas de la sortie. Dans les mains comme un bloc jaune et entier : la haine est impersonnelle.

7

La femme. Par la faute unique d'un autre entré dans le plus profond de notre être et qui s'en serait détaché pour y revenir soudain et y renverser tous les meubles, à chaque geste neuf qu'on voudrait ébaucher pour tenir entre ses mains en tranquillité une autre main, éprouver l'aide d'un regard, le mal s'interpose, et ces voix. Ou d'une toute petite, si petite chose, qui n'aurait compté que comme une humiliation de plus : dans le milieu de la nuit, sur le plancher, au milieu de la pièce, il avait pris mon sac à main, un petit sac gris, l'avait attrapé par le fond et avait tout vidé. Tout était tombé, éparpillé, et tout était resté là exposé, des heures. Tout quoi ? Rien du tout, des bricoles comme toutes on en traîne, un petit miroir face vers le plafond (plus tard, dans la grande attente, je regardais le reflet changer en remuant la tête, le carnet de chèques à nos deux noms, dont il avait toujours refusé de se servir et qui ne lui servirait plus jamais) et c'était bien ça le pire : l'inutilité de tout ça, le gâchis. La face triste des violents, que rien n'éclaire. Je n'ai rien voulu reprendre. Et lui, qui tenait la lame, ses yeux fixes injectés de rouge, ne vivant que par la haine qu'il avait de nous, il ne m'était plus rien : qu'il paye. Je n'étais jamais revenue, mais pour le procès il fallait bien. J'aurais préféré tout rayer d'un trait, on ne peut pas, même si on n'a plus rien, aucun repère. Tout aurait été gommé, et non par soi-même, sauf ce mal qui reste sur la table, le son heurtant de voix comme dans de la tôle. On voudrait la faculté de ne plus voir arrière.

L'homme. Et pour la barre franchie du vertige la loi sur vous des hommes et l'écart où on vous met. Le tournevis était dans la sacoche, quand j'ai garé la Mobylette je l'avais pris avec moi. On a déplacé un pion sur la carte établie des choses, voilà ce qu'ils mettent à rançon comme au péage des autoroutes, selon les kilomètres. Leur justice n'y peut rien : d'où qu'ensuite on parle ou se comporte, ce sera toujours depuis l'écart, la zone blanche à traverser. Et s'il n'y avait pas eu d'autre extrémité pour ce peu que j'avais à lui dire, qu'elle ne voulait pas entendre ? Quand, dans l'extrême où on s'est porté, on voudrait que le pire ne soit qu'un rêve au goût âcre mais réversible comme on enlève soudain la main d'un autre sur son épaule. La haine un fer rouge porté sur la peau là déjà où on souffre. De la passion on ne se dégage pas. La passion n'est pas une folie transitoire. Il y a un bout de l'être où il faut aller comme on explore d'une carte la tache vierge, un couloir au fond de l'être dont on veut voir le bout même si on voudrait bien que soit possible de s'y comporter autrement. Et on recommencerait demain parce qu'on a connu une fois d'aller au bout sans nuance ni distance.

Inspecteur de police. Inspecteur de police j'étais prévenu alors que notre permanence de nuit allait finir parce qu'il était 5 h 30 du matin, et qu'il ne s'était cette nuit-là rien passé de notable sur la ville du Mans qui justifie notre intervention directe hors les coups de téléphone habituels de ceux qui ne voient pas rentrer leurs proches, et à la fermeture des boîtes de nuit celui qui a trop bu et fait scandale et ceux qui s'énervent quand on les prend à brûler les feux rouges. Cette nuit-là au commissariat central du Mans nous avions repassé je m'en souviens la cassette apportée par un agent du match de coupe d'Europe de la veille, que notre service nous avait privés de suivre.

La femme. J'ai tout gommé. Systématiquement pris pour l'enlever chaque objet jusqu'au plus petit. Et que ces objets n'étaient pas seulement des meubles ou des bibelots, mais les souvenirs aussi. Je ne suis pas retournée sur mes pas. Tout cela devait être derrière moi. De notre passé commun rien ne pouvait plus m'appartenir, ni les quelques photos, ni ces petites choses d'amitié (et d'amitié elles demeuraient encore) qu'on met sur une étagère partout qu'on s'en vient habiter. Tout cela je l'ai balayé. J'étais partie. Je l'avais quitté. Un soir j'avais fermé sur moi la porte et j'emportais ce sac, un petit sac gris. Dans l'autre sac, trois habits, des misères. L'inventaire à faire jusqu'au détail pour détruire, jeter et que rien ne soit récupérable. Pareil que le sac qu'il avait éparpillé je ne l'ai pas ramassé, les trois habits, jusqu'au moindre, lacérés. J'ai quitté la ville. Je n'ai pas répondu aux lettres. Trente mois qui pour moi ont été trente fois trente jours de silence, et de marches une à une grimpées dans la ville neuve, la ville où on ne vous connaît pas. Paris garde cet avantage. Arrivée ainsi et restée depuis les mains vides. Pour découvrir que la tête, même sans plus rien pour s'accrocher au mal, était usée, comme au-dedans blanchie, et plus en soi de ressources où rebondir. Alors ce n'est même pas la vengeance qu'on souhaite, mais pire.

Inspecteur. Vocabulaire qu'on a à reconstruire et qui ne nous est pas plus agréable qu'aux autres, comme : ainsi donc établi que le ressortissant Frank (Arne étant son prénom) était arrivé au Mans depuis Marseille en Mobylette, et nous avons retrouvé la Mobylette. La préméditation donc certaine, et de ce genre d'instinct il ne nous appartient pas de raisonner, puisqu'il avait pris avec lui ce tournevis dont il a été prouvé que la lame avait été soigneusement et manuellement effilée. Que lorsque nous sommes entrés ce garçon (qui s'appelait Maindreau Joël) et les deux femmes (Maillard Sylvie épouse légitime de Frank Arne et son amie Catherine Charles locataire principale du logement de l'avenue René-Gasnier) étaient visiblement à bout, c'est eux qui avaient maîtrisé et grossièrement lié celui qui toute la nuit les avait séquestrés (plainte déposée en leur nom collectif) avec menaces et violences, tandis que nous conseillions à Maindreau de porter plainte supplémentaire individuelle pour les heures qui avaient précédé, et que la famille de la victime (une enveloppe avec ses nom et adresse trouvée pliée dans sa poche avait permis l'identification, il venait de Pornic) se portait partie civile pour le meurtre sans quoi tout cela n'aurait été qu'affaire privée.

intervene as a .. (my roles)

Metteur en scène. J'interviens comme réalisateur et metteur en scène. D'abord pour dire que j'ai souhaité cette entreprise, et qu'il s'y agisse de cette écorce morte des villes de province où,

12

derrière les alignements de fenêtres et dans la masse des murs, en attendant à un feu rouge crasseux ou dans ce qu'on aperçoit des trains avant qu'ils s'arrêtent en gare, on s'étonne de la part humaine qu'elles recèlent. Qu'il ne s'agisse pas d'une de ces histoires extraordinaires qui ne sont que prétexte à spéculer sur la valeur marchande de leurs interprètes, le nom de la fille sur l'affiche ou le couteau avec du sang dans une rue noire, mais qu'on s'en tienne à ces brassements presque muets d'une ville lorsque quelque chose dedans craque et isole une poignée des bonshommes qu'on relâche ensuite, aussi anonymes, dans la foule grise. Ces images ont été prises dans la ville d'Angers. Des obstacles qui sont là on peut faire un premier inventaire. Une ville moyenne et maussade, des rues longues aux fenêtres opaques, entassement circulaire aux visages absents. Puis la violence, banale, objet qui ne se ramène jamais en totalité aux lois de la raison ou de l'explication, et modèle pourtant les accrocs, les crêtes et les soudains virages de la routine du monde. Des corps dans l'étau qu'ils ont eux-mêmes serré, et pas grand-chose pour donner de l'air : l'appartement clos comme la ville, les routes qu'ils ont suivies allant droit jusqu'à une autre case semblable dans une ville aux rues aussi longues. Un événement réduit qui a été le petit choc de départ, cinq lignes dans les journaux, qu'on remonte comme on ferait d'une caverne et de ses galeries. Seraient derrière ces trois fenêtres au-dessus de la rue venus une nuit se prendre ensemble une série limitée de destins que rien ne signalerait autrement à une attention publique : histoire grande et violente à échelle du temps individuel, tout juste un froissement provisoire rapporté au temps arrêté de la ville et des routes.

Déposition 1 (effraction)

La femme. Que la solitude n'est pas le manque de quelqu'un, mais marcher sur un grand espace désert et on a les yeux vides, punition la plus terrible emportée avec soi, dont l'autre seul est responsable. Qu'aujourd'hui il paye. Les yeux froids pour le revoir, parce qu'il en a enlevé, lui, tout ce qui aurait gêné en étant capable de sentiment : c'est ce qu'en moi d'un coup il a tué.

L'amie. Il nous avait dit, comme si cela comptait et que ça avait encore importance, qu'il venait de Marseille en Mobylette et que ça demandait quatorze heures pas plus, qu'il eût fallu l'en admirer (combien il aurait mieux valu que son pitoyable engin explose) et ce qu'il put macérer de ses pensées étroites pendant cette route sous son casque, un minable casque usé maintenant posé par terre dans l'entrée et pourquoi c'est cela que j'ai vu d'abord et sur quoi s'est concentré la colère que j'avais de son intrusion : il n'avait pas le droit, il était ici chez moi. Je me souviens même, il a dit : le moteur a beaucoup chauffé.

L'homme. Ce qui nous fut concédé avait été trop petit, et tellement incomplet. J'avais posé mon casque dans l'entrée. J'avais fait le chemin en Mobylette, ne m'étais arrêté que pour le plein d'essence ordinaire (une Mobylette en consomme peu). Soixante-dix sur le plat, et plus lentement en côte où je devais ménager le moteur, les villes s'étaient enchaînées dans de longs alignements blafards, leur figure de la nuit (quand il semble qu'aux carrefours déserts les feux rouges marchent pour rien). La bécane planquée à trois maisons de là, dans un passage pompeusement nommé rue de l'Abbé-Gruget : les maisons de chaque côté s'y touchaient presque par le toit. Et c'est la question que je n'ai jamais posée : l'ont-ils récupérée, ont-ils pensé à la faire reprendre ou bien n'est-elle plus qu'une épave, la *Mopa*, un cadre rouillé attaché par son câble antivol tandis que tout le reste a disparu ?

Inspecteur. Qu'en présence du premier substitut du procureur constatations furent faites rue de l'Abbé-Gruget, passage ouvrant entre le 225 et le 227 de l'avenue, d'une Mobylette attachée par chaîne et cadenas à la grille d'un entresol et cadenas correspondant à la clé trouvée sur Frank à son écrou (et le temps que vous imaginez bien qu'il faut à ces vérifications dont le résultat est prévu d'avance mais c'est le métier). Que témoignages furent recueillis de son passage en milieu de nuit au restaurant routier de Romorantin, comme témoignages furent recueillis de l'attente en différents points de la ville, en particulier le pavillon des parents de Maillard Sylvie son épouse, et différents établissements où le couple quand il habitait Le Mans avait ses habitudes, d'un homme en casque et blouson sur Mobylette bleue correspondant à Frank. Que constatations furent faites de l'heure de son intrusion dans l'appartement de Charles Catherine et des dégradations volontaires qui y furent commises, en particulier sectionnement évident des fils du téléphone.

L'amie. C'est lui qui avait prononcé, dès la porte ouverte, le mot de vengeance, qu'il disait dans sa langue : *Rache*. Et que si nous ne savions pas, ce serait pour nous apprendre, et juste ce qu'on méritait, et moi avec Sylvie, moi comme Sylvie, et qu'on devait bien se douter de tout ce qui nous tomberait dessus, nous tomberait dessus par lui et avec lui. Et nous l'avons pris de haut. Nous l'avons pris de la hauteur que nous avions décidé d'avoir avec lui, parce qu'il n'était pas à sa hauteur à elle, et que seule une violence, quotidienne, mesquine et multiforme, lui assurait barre sur elle. Nous l'avons considéré de tout l'écart que nous avions décidé de prendre avec une histoire si ordinaire, une séparation qui n'était qu'une tâche banale à mener à bien, où le rôle d'une femme est d'aider une autre femme son amie (avec Sylvie nous nous connaissions depuis l'enfance et la première école, dans des villes où changer d'adresse, de quartier ou de maison n'est pas une affaire mince). Et l'après-midi encore nous avions parlé ensemble des formalités qu'elle entamerait dès maintenant pour requérir son divorce, des complications qu'il pouvait y avoir et n'appartenaient qu'au domaine de l'administration civile. Nous avions fait la faute de négliger sa possible venue, croire les kilomètres suffisants

17

pour entériner la rupture, et ne pas croire si proche de nous la violence ordinaire et mesquine des faits divers de journaux. Il avait ce tournevis à la main, et nous avions compris en un instant qu'il allait frapper en sauvage tout simplement parce que voilà ce qu'il avait à nous dire, et celui qui recevrait n'était de rien dans cette histoire, aucune jalousie même, sinon celle du monde où j'accueillais Sylvie en égale, où lui-même n'avait ni place ni accès ou entrée : « Cathou, Cathou, Catherine », j'entends sa voix encore.

La femme. Et découvrir d'un coup que je ne le connaissais pas. Il y aurait eu, la première fois que je l'avais vu, quelque chose de neuf qui s'était ouvert en lui comme une ampoule à un plafond s'allume : comment sinon expliquer presque trois ans de voyage ? Il avait honnêtement tâché de se modeler sur cette lumière. Il avait quitté son monde, comme on se dépouille d'une peau inutile, de ce sentiment après tout si confortable de dérive qui va bien avec un âge. Il m'avait rejointe au Mans, et même s'il y avait pu passer pour un loup, dormant dans des voitures et n'affichant pas de revenus légitimes, cela n'avait pas duré. Il avait même fait maçon, et roulé des brouettes sur des échafaudages d'hiver, vu ses mains rougir et durcir. Puis entré dans une entreprise spécialisée en démolition d'usines et bureaux, triage et revente de matériaux : et tout ça semblait lui convenir et cela avait duré presque une année. Et il avait l'âge où tout encore est modelable, et j'étais le modèle. L'idée qu'on se fait (je me la faisais) était qu'à l'intérieur d'un homme ce n'est pas repeindre en couleur plus vive mais bien remplacer chaque fois une pièce et ses meubles par une autre, et que, comme dans son nouveau métier on expédiait le vieux cuivre et les radiateurs de bronze dans des usines loin, ce que je savais de lui tel que je l'avais pris, dans la rudesse et la frange, n'attendait qu'un départ plus ferme pour être évacué. J'avais cru. Un crâne est un ballon clos dont on ouvre une case mais c'est en compressant d'autres qui lui préexistent. Tout est là, prêt à contaminer le nouveau et se répandre, occuper en un instant ce qui a mis longtemps pour trouver sa place. Je tolérais comme inévitable ce qui, à de quelconques intervalles, resurgissait comme trace d'un homme antérieur, qu'il ne m'avait jamais montré. Et à cet homme en lui caché quelquefois je tendais aussi la main, même découvrant cette lueur dans les yeux au bord d'une course de moto (plaisir trouble qu'ils ont à ces machines de fer qui retombent sur un homme cassé), ou cette habitude au dimanche de se promener sur les décharges comme si nous manquions de quelque chose, que ces débris qu'il ramassait puis entassait pouvaient avoir valeur, ou bien que le ciel avait plus de reflet dans les yeux quand on l'approchait sur ces étendues où s'accumule ce qu'une ville laisse derrière elle. C'était ce qui lui donnait confiance, et je n'ai rien deviné. Même quand il levait la main sur moi je ne devinais pas.

Inspecteur. Bien sûr nous avions (avant même d'être sur place) convoqué les secours d'urgence, et bien sûr c'était visiblement trop tard. C'est la loi ordinaire de notre métier, et ce à quoi nous sommes formés, que de pénétrer ainsi, comme on doit dans les premières minutes débrouiller les personnages principaux d'un film de la scène par quoi il s'ouvre, les liens forts ou ténus, administratifs ou hasardeux, qui relient cinq êtres qu'on découvre comme par une fenêtre brutalement ouverte, où démesurément ils sont grossis, et comme maintenant figés par le temps paralysé : il y avait ce mort, confié lui aussi à notre machine précautionneuse. Nous sommes formés, en telle situation et comme on remonte un puzzle ou qu'on résout un problème de mathématiques, à

20

assembler d'abord devant nous sur la table les quelques éléments sûrs et concrets du point de vue administratif. Par exemple que l'homme trouvé assommé et grossièrement lié, largement ivre d'autre part (les constatations en furent faites moins d'une heure après à l'hôpital du Mans où en accord avec le premier substitut du procureur en charge du dossier nous les avons fait transporter), avait sur lui un passeport allemand au nom de Frank, prénommé Arne, dans lequel était insérée une carte d'identité française, la double nationalité parce qu'époux légitime de Maillard Sylvie, présente dans l'appartement, tandis que Charles Catherine et Maindreau Joël étaient les noms des deux autres. Quant au mort, ils nous déclarèrent n'en rien connaître, même pas son nom, ce que tout d'abord nous n'avons pas voulu croire, et nous força de placer accusé et victimes dans la même garde à vue.

Directeur de la photographie. Je suis directeur de la photographie, c'est mon métier. Voilà encore des images faites à Angers, cette fois au bord de la ville, et liées à la route, aux trajets. Nous sommes allés sur les parkings, dans les supermarchés, les stations-service, à la descente des autobus dans les cités. La difficulté était de maintenir comme cette proximité ancienne, du premier temps des outils frustes, des lourdes caméras immobiles et des bandes à défilement manuel. Il fallait savoir ce qu'on allait mettre en chaque coin du champ. On ne multiplierait pas les coupes, on agrandirait plutôt le sujet par des astuces de théâtre. Un bout de glace au bon endroit, et on voit les passants en arrière. Il suffit d'un paravent, d'habits qui pendent, et c'est la figure d'une foule. On voit alors un fragment du visage de l'acteur, l'épaule de celle à qui il parle, un mouvement fuyant des yeux pose une fenêtre, et la ligne de fuite d'une rue. On pourrait étouffer avec si peu, quatre personnages et un mort dans une chambre et qui parlent toute une nuit. Mais les cloisons sont celles du cinéma, construites en provisoire pour l'effet sous les combles inutiles de ces bâtiments industriels tout rasés de l'intérieur dont on trouve trois pour un partout. Il y a les projecteurs pour animer les silhouettes alors comme on les ébauche dans un dessin au fusain, violence seule du trait, qui s'applique à chacun en noir et en blanc, donne relief au visage, à une table de bois brut qu'ils ont sous les mains. Il y a à trouver une vérité des mains que la discipline d'acteur ne fabrique pas comme les mains de la rue, d'une caissière de supermarché ou d'un type qui fait de la mécanique, d'un autre capable de tenir une lame. Les mains parlent et c'est le travail du photographe.

Déposition 2 (rejet)

La femme. Quelque part j'aurais préféré que les murs s'écroulent, que des fissures apparaissent, ou un noircissement véritable du ciel et de la ville, que la terre tremble ou que des sirènes hurlent. Ce n'était qu'un homme dont je découvrais comme de taille aussi il était plus petit qu'il m'avait jusqu'ici semblé (ayant vécu trois ans avec lui, et légitimement mariés) et qu'un tic nerveux agitait désagréablement sa lèvre (au début qu'il apprenait notre langue il disait le *ticket nerveux* et pourquoi on se rappelle de choses pareillement petites). Je découvrais un homme ordinaire et qui ne m'était plus rien. Personne donc ne viendrait jamais s'interposer (comme pourtant on était fiers auparavant que quiconque ne vienne se mêler de nos affaires) : la ville était indifférente, y a-t-il de quoi tant se réjouir de ce phénomène d'espèce ? Cela avait duré, dix heures blanches sous sa parole mauvaise et folle, jalouse ou ivre. Dans le milieu de la nuit il avait enlevé son blouson qui sentait l'essence et la Mobylette. Sa peau des épaules apparaissait (on était au mois d'août, et les fenêtres fermées nous aussi on transpirait), une peau blême avec ses rousseurs, qui aujourd'hui m'était si étrangère, trois ans durant cette peau je l'avais donc touchée, tenue et embrassée ? L'indifférence de la ville à notre égard comme de moi-même à sa peau pire peut-être que la violence sur nous exercée, où le dégoût avait remplacé la colère. Et dans le gâchis, l'insistante et unique pensée de se débarrasser de lui comme on ferait d'un insecte, qu'enfin les sirènes se fassent entendre et que leur crescendo envahisse l'avenue où aucune voiture ne passait plus, qu'il y ait galopade dans l'escalier, cris et la porte enfoncée, mais nulle sirène, nulle fissure. On pensait à ces images de ville dans la guerre, quand dans les murs détruits résiste l'organisation de fourmis des hommes pour manger et survivre : ici la ville était calme, et la guerre dans les murs.

L'homme. Qu'elle alors toute seule aurait compris ce qui m'amenait et la gravité, l'immensité de ce que j'avais à lui dire. Et cette rue continuait sa vie ordinaire et vide (en face on avait la caserne). Comme on voudrait parce qu'on n'a plus rien d'autre s'enlever sa peau à soi, évider ses entrailles ou s'ouvrir enfin le crâne pour qu'un autre connaisse la vérité de soi-même : frapper et faire violence ce n'était pas plus que se frapper soi-même et dire la violence que sur soi on porte jusqu'à la blessure. Quand on comprend que personne n'en veut et que personne n'y regarde, alors on referme tout et on remballe (ils disent ça sur les marchés, *wieder einpacken*). Au matin en tout cas j'avais repris la cuirasse. Ce qu'ils peuvent alors faire de vous ne compte pas, leur loi même n'est pas en cause, qu'on convoquerait pour se protéger soi, si soi-même on était de l'autre côté de la barrière. Parce que soi-même en frappant on s'est ouvert le ventre et qu'on s'est vu à l'intérieur. Découvrir où au profond de soi s'est lovée, sans qu'on n'en sache rien, la capacité du pire et qu'elle ne fait pas de nous un homme autre que les hommes ordinaires (et les rêves qu'on a, encore et encore, où c'est soi-même qu'on déchire).

L'amie. Sylvie était revenue de vacances et ne m'avait rien dit, à l'époque on se voyait tous les soirs et toujours on avait à se dire c'était ma copine. Peut-être du vague au fond des yeux. On rentre de vacances et on retrouve sa caisse à Super U. De ce qu'on a vu, de ce qu'on a fait, même aux plus proches on parle d'autant moins que cela s'éloigne de la vie ordinaire, l'illusion est un bien à conserver ainsi en tiroir secret. Enfin casser, ou tenter de le faire, avec la fille sage au chemin droit tracé qui gardait sa chambre aux tissus roses dans la maison de ses parents. Les garçons, voilà ce dont nous parlions. Et comment de chacun il était si facile de voir dans le paquet d'os la corde qui les meut et savoir qu'avec telle étroitesse ce n'est pas celui-là encore qui convient. C'est pourtant comme de savoir à votre figure et là où on vous a mis (cette caisse de Super U) que la ville vous les pousse devant vous par vagues indifférentes, on doit avancer seul sur la route pour en trouver un qui ne tienne pas de cette loi forcée d'un choix qui vous assignerait pour toujours cette place. Mais celui-ci c'était redescendre cinq étages. Qu'est-ce qu'il lui avait dit ou laissé miroiter qui ainsi l'éblouisse, qu'avait-il de lui à elle tissé comme un câble d'acier qui la retienne ? Voilà que ce type pour toute autre qu'elle à classer sur l'étagère bons souvenirs du mois d'août débarquait dans la Sarthe et l'attendait un soir devant son magasin (il savait qu'elle travaillait dans une de ces tentes de tôle au bord de ville réservées à l'approvisionnement des gens ordinaires, il n'y en avait pas tant à examiner pour la retrouver). « Voilà, je suis venu. Voilà, je suis là. »

26

Et elle prenait ça pour argent comptant : s'il avait fait cet effort-là c'est donc que c'était grand pour lui aussi, ce qu'ils avaient partagé, et un socle suffisant pour y bâtir.

L'homme. La mort marchait avec moi, j'étais entré avec la mort et ce n'est pas un choix qu'un homme décide la tête claire, plutôt une ombre noire indistincte qui s'interposait à mesure des heures passées entre mes yeux et mes mains, et leurs yeux et leurs mains. On croit un instant que tout dans cette ombre est devenu langage où les mots n'ont plus valeur, insuffisants pour leur vrai usage qui est de commander aux choses. Et ce qui est terrible et vous abat comme une masse à tous horizons déployée, l'idée que tout vous apparaît avec retard : que ce que vous avez fait était condamné d'avance, venait trop tard. Que la mort, qui vous avait ce soir-là rejoint, marchait depuis longtemps, peut-être depuis le premier voyage, il y avait tellement longtemps, pour la suivre dans cette ville du Mans où elle était : que cette ville même imposait à terme l'échec de ce qui lui arrivait du dehors, par le voyage. Et quand on se réveille et qu'on se débat, qu'on voudrait se dire : j'efface, ça n'en valait pas la peine et vous deux non plus, les filles, ça n'en valait pas la peine, on a un tournevis dans la main et on s'en est servi parce que la colère avait débordé, que les filles avaient admis auprès d'elle une autre figure d'homme qui vous excluait. Et ça aussi aurait dû prouver qu'il fallait là-dessus souffler avec mépris comme on fait d'un papier qui s'enflamme. Le type était mort, celui qui s'était décrété auprès d'elle mon remplaçant, et avec deux doigts sans qu'eux-mêmes s'en aperçoivent j'avais tiré sur ses paupières pour lui fermer les yeux (plus tard dans la nuit les yeux du mort s'étaient rouverts d'un millimètre).

Mécanicien. Même elle, Catherine, à cause de ma profession, m'a toujours appelé comme ça, « Mécanicien », et quelquefois me présentait direct ainsi à ses copines. Quand le type était arrivé au Mans, trois ans plus tôt, le plus beau c'est qu'elles deux, les filles, l'avaient aidé. La porte qu'un jour il a franchie ce tournevis à la main pour l'agression, d'abord il l'avait franchie pour demander à Catherine, qui habitait là, de manger. Parce que ce garçon-là, sinon, n'aurait pas mangé. Il avait dormi là sur le canapé parce que, sinon, il aurait dormi mais dehors. Et c'était le même type, deux ans plus tard, que je n'avais jamais vu, qui trois heures durant devant moi

28

livrait les paquets de sa haine, tandis que grandissait la mienne, que je cherchais à reconstituer les fils. Il leur voulait du mal, il me le disait. Je connaissais en gros ces histoires à propos de Sylvie. Mais deux filles ensemble gardent pour elles ce qu'elles se racontent et qui nous concerne. Catherine ne me rapportait pas en détail les malheurs et les espoirs de sa copine. Le type devant moi déballait sa vie et ses salades. Moi je pensais : « Ça ne va pas bien loin tout ça, des comme toi mon petit gars, un tour en ville et j'en ramène trois paquets de douzaines. » Mais celui-là était méchant. Ce n'est pas que j'avais si peur pour moi. Une fois dans le bain on résiste, c'était plus d'être vexé que d'avoir peur.

Acteur principal (« l'homme »). Là c'était avant le tournage : pour s'acclimater ils me faisaient marcher dans cette ville, Le Mans, au hasard, comme je l'entendais, eux se débrouillant pour les images. L'obstacle pour l'acteur est dans cette langue à l'abord informe, la tâche qu'on a d'y faire naître des figures et qu'elles échappent une par une au champ clos qu'elles nomment, et viennent se déplacer là devant comme se mouvant de leur seule force, très proches, tenant dans leur matière même les corps, les visages et la ville. Langue à l'écart des faits pour garder sa hauteur, quand les faits sont choisis justement pour n'avoir rien à signaler, n'être qu'un événement obscur dans l'obscurité des villes, n'affectant que ceux-là qu'on n'a pas pour habitude de compter. Trouver une langue qui se donnerait ainsi par blocs comme elle vient dans la tête, ou l'illusion qu'on en a parce qu'on pense aussi bien comme on regarde une photographie, par surfaces immobiles où il nous semble que tout le texte est clair (mais quand on se réveille on n'y trouve plus que la répétition d'une formule pauvre). J'ai voyagé souvent, joué beaucoup. J'aime à la racine de notre monde ces très vieilles tragédies pour ces pulsions mauvaises qu'elles mettent à nu en ce qu'elles affectent le destin commun, qu'on y sait l'histoire et son dénouement avant même que cela commence : comptent seulement les variantes du chant, l'arrangement du défilé des voix et la puissance immobile des phrases. J'ai formé mon corps à ces théâtres venus de Pologne où, peut-être à cause du climat là-bas et des couleurs des villes, tout se passe comme en cave et comme on brosserait avec soi-même l'image violente d'un tableau peint à l'huile dans un registre sourdement monochrome, dont la force de symbole remplace en partie un texte qui viendrait seulement par bribes, ébauché comme présence souterraine, traversant seulement ponctuellement la surface visible. Parce que le fait divers originel mettait en scène un homme de mon pays, on m'a choisi malgré ma difficulté à parler dans l'autre langue et cela paraît-il était déjà vrai pour lui, Frank, qui me servait de modèle (on a cherché une photo, lui avait en plus une espèce de moustache châtain très fine, des cheveux un peu raides sur une peau qu'on devinait rêche).

Déposition 3 (trajets)

L'homme. Temps qui vous semble lointain parfois, mais si on fait le décompte des années : bien peu. Paysage de temps, qu'on porterait tout entier dessiné devant soi comme un tableau qui serait votre être propre, ce qui du dehors et du monde s'est imprégné en chacun pour le définir. D'Œlde en Westphalie, connue pour la plus grande usine de trayeuses électriques et séparateurs du lait Westphalia Separator (mon vieux père y travaille) on voit bien peu du roulement du siècle. C'est un pays qui peut-être a changé, mais va lentement quand il change. Il y avait au coin de rue (il y a toujours) le marchand de saucisses frites *Imbiss* et dans les rues les camions militaires aux plaques étrangères : on aimait bien le surplus américain pour acheter, mais notre propre armée ça n'aidait pas à y croire. Ceux qui partaient six ans là-haut à Berlin au ciel séparé en étaient dispensés. Je n'avais pas de temps à perdre déguisé en flic. Je suis venu en France. Il y a eu une voiture empruntée et cassée avant qu'on la remette : on était trois collègues, on avait écouté de la musique et bu de la bière et chez nous rien de tout ça n'est très grave. Est-ce que c'est sur une heure et parce qu'on plante une Volkswagen usée dans un talus qu'on doit porter sur son dos toute sa vie charge d'infamie ? J'étais venu en France et ça réglait tout. Dans ces cas-là on fait de l'auto-stop, on passe la frontière à pied, Freiburg ou Strasbourg, et on continue plein sud. Pour nous, des pays de forêt, la ville de Valence est une frontière presque de civilisation : on survivrait de n'importe quoi. Quand on touche au bout, sur le port de Marseille, c'est d'autres de chez nous, pareils, qu'on retrouve. Une Volkswagen de hasard empruntée ou n'avoir pas voulu se déguiser en vert militaire ça ne compte plus, d'une histoire personnelle de chacun on n'en parle seulement pas. On se donne des tuyaux, à quelle date il y a les vendanges. A cette époque-là on pouvait encore passer des

Corbières au Beaujolais en suivant le soleil et le mûrissement des vignes, nourri et payé et garder malgré la bière du samedi soir de quoi tenir les mois d'hiver à Marseille ou Toulon. L'année a filé comme ça. J'aidais aux forains (on dit comme ça ?), je montais les manèges, ils m'ont pris trois semaines, puis sur les autos tamponneuses. Mais le jour où j'ai vu Sylvie j'ai oublié tout ça d'un coup et ça c'est la vérité.

La femme. Amitié, de savoir que dans le tableau intérieur d'un autre la même image est là dessinée aussi, où on pourrait marcher ensemble. L'amitié est fragile, et ses frontières celles de ces deux images qui ne se fondent jamais, quand bien même on croit regarder la même chose et de la même façon. On porte en soi ce grand écran blanc où on croit lire et retrouver tant d'images. On est deux, mais ce qui vous entoure, et votre propre place sur le tableau, déjà on ne le partage plus. Tout reste apparemment identique, mais la vision est distincte. J'avais voulu l'emmener marcher dans mon tableau. Et il est beau ce temps précaire où, découvrant ce qui est le paysage d'un autre, on s'imagine le faire sien, et que ce qu'on a donné de soi est pareillement traité que ce qu'on accepte de l'autre. Je découvrais des mondes neufs où c'était comme aller dans un film, et j'offrais mon paysage, des voyages et des noms, les maisons où j'avais passé et les êtres qui m'étaient chers, la mémoire et les rêves qu'on croit possibles, la couleur même de tout cela, qu'on s'imagine que l'autre réinvente à tant chercher dans vos yeux ou sur les reliefs du corps qu'on lui abandonne. Tout cela si provisoire, quand symétriquement tout ce sur quoi s'appuie la vision se referme et tourne le dos : la méfiance qu'ils ont eue vis-à-vis de Frank n'ayant pas vraiment aidé à ce qu'il se déplie et s'abandonne.

L'amie. Elle lui avait tout donné, sans réserve. Et lorsqu'il a réouvert la paume, que le sable est tombé, d'elle il n'y avait plus rien. De ce qu'elle avait tenu pour le plus fragile et secret de ses possessions tout avait été touché et fripé, gaspillé. Elle-même ce sac de peau vide sur un coin de ciment, sans souffle, incapable même de se saisir d'un secours qu'on lui offre. Je lui avais dit de partir, elle aurait mieux fait. Et moins de pardon encore de nous avoir traînés là où elle-même trempait, quand nous avions assez à faire de nous-mêmes. Il faudrait une fois ainsi s'y casser pour perdre le goût ou l'illusion mauvaise d'aller fouiller dans le sac des autres, se rassurer à croire qu'on peut être utile en mettant la main dans la vie d'un autre.

La mère. Elle est revenue un mois d'août aux derniers jours et nous avons compris qu'elle avait changé. Et cela s'était fait loin de nous et sans notre contrôle comme nous savions de toujours que cela se produirait, sans nous et comme une déchirure. Nous le savions, étions prêts à l'accepter et à quoi auraient servi trop de questions. Elle avait un travail, qui n'était pas si facile ni de telle valeur qu'on aurait pu se l'assigner, jeune, pour son destin de femme : elle était prise caissière, il faut bien manger et s'occuper. Elle était partie un mois en vacances, et avait préféré s'éloigner de nous, c'était encore le chemin normal d'une vie. Et puis elle n'était pas seule, elle partait chez une tante, là-bas dans le Sud au bout des autoroutes et qui est encore le chemin ordinaire des vacances : de quel droit nous ses parents serions intervenus pour la dévier de la route prise ?

L'homme. Qu'à un âge de soi-même le besoin est là de partir et d'aller droit devant, de faire pour après ces réserves où comptent les ciels et le goût qu'a l'air selon qu'on est en altitude ou près de la mer, que les vents viennent de terre ou pas, et selon qu'on avance dans l'année ou qu'elle se termine, dans le mouvement des jours et des lunes. J'étais un marcheur. On passait d'une ville à l'autre et d'un monde à autre monde, du moins le croyait-on sans imaginer qu'une nuit de train suffisait, de n'importe où jusqu'à Barcelone où aussi j'ai été, pour vous ramener jusqu'à Cologne et de là, en deux heures de tortillard, à Œlde en Westphalie. Sur les marchés on vendait des herbes, des savons aux parfums et autres bricoles. Une fois tous les quinze jours on partait la nuit (la camionnette n'avait pas d'assurance) jusque près d'Antibes où était le marché de gros de tout ça, pas grand-chose à inventer dans ces endroits et ces vies où tout semble prévu d'avance. On en prenait le plein coffre, et sur les sièges autant qu'on pouvait. Sylvie a paru devant moi à Uzès qui est une ville du Gard avec encore des arcades, un château à remparts, des tours et une place carrée à fontaine. Elle était en vacances et chaque minute en laissait apparaître une autre comme elle. Et la qualité de ce qu'on leur proposait, nos aromates, nos savons naturels ou nos ceintures comptaient moins que certain goût d'une bêtise inutile, notre figure et les mots qu'on mettait avec allant de pair avec nos objets de cuir, par un peu de vin, beaucoup de grand air, les nuits sur les trottoirs et pas souvent la douche. C'était un pas à côté de leur route monotone, ce qu'elles attendaient de leurs vacances pour autre chose qu'un bref défilement de semaines entre deux années de routine assignée. Donc elle était là devant moi et on se regardait et c'est un désespoir que je n'avais jamais vu sur personne ni senti avec une telle intensité et cela personne ne l'expliquera jamais ni pourquoi c'est à moi et en cet instant que ce désespoir elle offrit. Je jouais avec un chien. Et le soir comme j'étais aux manèges (on passe au vol sur les autos tamponneuses pour ranger celles qui n'ont pas été prises, on s'accroche par le mât à celles qui tournent en faisant gicler par gerbes les étincelles bleues). Moi aussi je l'ai reconnue. J'avais offert à boire à notre bouteille de mauvais vin, et c'est ainsi qu'elle a ri, qu'elle a bu quand même. Et que je n'ai pas été surpris au lendemain de la voir repasser sur la place et, mine de rien, de me faire un petit signe, le reste fut facile. Un marcheur qu'on arrête et qu'on met dans une case, ça lui continue dans la tête, la pression monte : les bêtises faites, on les aurait peut-être contenues si on était resté sur la route. Qu'on n'aurait peut-être pas faites non plus si, dans le coin où on avait voulu s'attacher, leur monde laissait devant les cases un peu de ciel possible.

La femme. A peine alors s'il parlait notre langue. Longtemps on s'est servis tous deux d'un mauvais anglais, celui qu'on partageait à peu près et ça aidait à rire. Et puis il se risquait à répéter les mots que je lui proposais et de cela aussi nous avons fait un jeu. J'avais trois semaines pour moi, dix jours étaient déjà passés. Ceux qui ont suivi n'ont été qu'un souffle de flamme. Je lui apprenais. Je m'interrogeais sur ce qui me semblait un comble de brutalité ou d'écrasement du sort, sans jamais percevoir ce qu'il y avait au contraire d'étroit confort égoïste à ainsi laisser couler. Peut-être quand même valait-il mieux que ceux qui l'entouraient. Il n'hésitait plus, dès lors que j'apparaissais, à les laisser pour aller s'enfermer dans ces bistrots sombres où sans lui je ne serais pas entrée (et le goût même de ce qu'on y buvait : Monaco ou perroquet, ces noms bizarres comme si cela pouvait vous appartenir en propre). Et la semaine suivante il me proposait de partir voir la mer. J'ai prévenu ma famille, et on ne m'a pas posé d'autre question. On a pris des trains comme on n'en fait plus et changé trois fois (les billets il avait tenu à les payer seul) dans ces villes dont jusqu'ici je n'avais entendu le nom que comme autant d'objets lointains et sans derrière eux la charge humaine dans les alignements de rues qu'évoquent pour ceux de chez nous des consonances comme Laval, La Flèche, Segré ou Nogent-le-Rotrou même sans s'être arrêtés à chacune. On arrivait enfin à Cap-d'Agde et l'endroit là-bas qu'ils ont bâti et appelé « l'île des Loisirs », indiqué comme ça sur les pancartes dès la gare pour quelques manèges et un peu plus de restaurants, et cela aussi ajoutait au jeu. Comme si enfin ce que nous vivions était sûr parce que vécu de la même façon par tant d'autres, et tellement légitime et facile aussi de dormir sur la plage : « Hôtel Les Etoiles » il avait dit et nous avions ri (et le nom aussi de la boîte de nuit obligatoire c'était Black Pirate et la fête foraine avec le panneau indiquant femme à deux têtes mais une fois entrés c'était facile de voir laquelle était en plastique). Qu'on aurait pour nous tout un monde, il me l'offrait prétendait-il, qu'il en était apparemment le maître, lui l'étranger avec ses fautes dans les mots et que ce jeu si vieux marche quand même parce qu'on n'a même pas ses dix-neuf ans encore. Au retour dans le train j'étais assise contre la vitre et lui s'est endormi sur mon ventre, une main sur les yeux. Ensuite le lien est là, qu'on ferait tout (j'ai tout fait) pour ne plus le briser et tout garder dans sa première et impossible beauté : on préfère le sabordage où on voit bien qu'on va, à l'idée que ce lien on l'aurait depuis cette nuit-là, à Agde sous les étoiles et au retour dans un train, gaspillé sans contrepartie.

La mère. Elle avait repris son travail, elle avait toujours sa chambre à la maison et pourquoi tout cela aurait-il dû changer autrement qu'à nous on nous l'avait appris, selon les grandes saisons de la vie assignée. Elle a commencé à rentrer plus tard, et elle a commencé à se taire. « Sylvie... – Maman ? » et rien d'autre, pas une accroche où se rejoindre. Il aurait fallu lui dire que je ne voulais que lui tendre la main. Même pas savoir, mais n'être pas l'ennemie, celle qu'on rejette. J'ai su ensuite qu'il l'attendait, le soir en face son travail. Paraît-il, je l'ai su aussi, qu'avec son argent à elle ils passaient deux heures, trois heures, dans les cafés près de la gare, à parler et attendre. Qu'il prétendait chercher du travail, s'installer ici. Très sûr qu'en attendant il dormait dans les voitures (on en trouve toujours bien une d'ouverte), et pour manger chapardait dans les grandes surfaces : « Et alors, ça ne change pas grand-chose à ce qu'on jette de périmés. » Voilà où en était Sylvie et ce qu'elle m'a répondu alors que je parlais de ça pour personne en particulier et sans citer de nom, voilà ce qu'il avait fait de ma fille : ces gens-là ne sont pas en peine d'inventer leurs combines et passer où nous on trouverait un mur. Elle avait les yeux cernés. On la voyait tracassée : « Sylvie, qu'est-ce qui ne va pas ? – Rien, maman, t'inquiète pas. » Ça a duré des semaines. On était dans l'hiver. Un jour elle amène ce type (je n'avais rien contre) : « Arne, un ami allemand. – Vous êtes de passage dans la région ? » Il aurait bien été embêté de répondre : « Vous avez trouvé du travail par là ? » Il n'était pas causant au début. Ils se sont enfermés dans sa chambre, et ça a recommencé le lendemain, puis tous les jours. Il repartait le soir tard, et encore plus tard. Enfin même pas ressorti.

Metteur en scène. Pour le réalisateur, tenter donc une alternance dont aucun des deux termes ne pouvait valoir par lui seul : par exemple l'immobilité d'une ville quand elle n'est pas le brassement géant d'une capitale (encore qu'une capitale en ses bords soit principalement l'assemblage de ce qui ressemble bien à ces villes moyennes où on ne voudrait pas vivre : Le Mans) et la fuite sur les routes, ces longueurs de ruban qui mènent d'une case à une autre, aujourd'hui qu'on passe dans la journée presque de Hambourg à Madrid sans sortir de l'autoroute, où une demi-journée suffit pour qu'on continue à Paris une discussion commencée Chutes-Lavie où ils avaient vraiment habité comme par fait exprès (la dictature des noms sur ceux qui les traversent), Marseille quartiers nord dont nous voulions aussi rapporter les images pour la théâtralité ici de la ville, mieux dissimulée dans ces vieux amas que sont les villes moyennes de l'Ouest. L'histoire réelle de ces personnages offrait ce désordre comme en mécanique des particules, où sans cesse on heurte aux parois pour rebondir là d'où d'abord on était parti, mais en configuration autre. Il y avait le voyage en Mobylette d'une traite de Marseille jusqu'au Mans avec ce type qui parlait toujours de sa halte à Romorantin et des discours qu'il y avait tenus (nous avons fait de nuit la même route, par les nationales, et nous aussi nous sommes arrêtés au routier de Romorantin ouvert la nuit, y avons même enregistré et photographié), et l'essai de vivre dans cette ville d'Allemagne, le transfert ensuite sur Marseille. Un moment j'avais pensé que tout ça, ce confinement du fait divers et cette nuit entre quatre personnages plus un mort pouvait être mis en scène uniquement par un artifice de narration, dans ce routier de Romorantin, ou un quelconque de ces selfs au bord des autoroutes ou dans le fond de la nuit il se trouve toujours bien mieux que dans les villes un type à vous déballer sans qu'on lui demande rien toute son histoire, jusque tout là-haut entre Hanovre et Berlin quand on partage une langue qui n'est pas celle des autres chauffeurs de camion, et que ça aurait pu être lui, Frank, échoué là.

Déposition 4 (otages)

Inspecteur. Constatations que nous nous sommes efforcés d'établir selon leur enchaînement chronologique repérable, qu'il était 17 h 30 précises lorsque Frank pénétra l'appartement où Maindreau, connu sous le surnom de « Mécanicien », profession que d'ailleurs à l'époque il n'exerçait pas, se tenait seul. Que Frank découvrant Maindreau dit Mécanicien s'en rendit maître par violences attestées pour l'immobiliser grâce à un rouleau de produit dit Elastoplaste à usage chirurgical, en vente libre (il fut établi qu'il en avait fait provision centre-ville dans la journée, et la boutique retrouvée, c'était à 14 h 30 le premier à entrer dans le magasin qui rouvrait). Constatations faites que Maindreau, vivant en union maritale avec la femme Charles Catherine, fut lié debout mains et chevilles fixées aux tuyaux d'un radiateur de chauffage central, Frank et lui-même demeurant alors trois heures face à face. Et constatation par témoignages concordants lors de l'enquête qui suivit que Frank n'avait précédemment jamais été en relation ni connaissance avec Maindreau sa victime, qu'ils ne s'étaient jamais préalablement rencontrés. Et quand nous demandions : « Mais en trois heures, si vous prétendez qu'il n'a pas cessé de parler, que vous disait-il ? – Des salades », nous répondait Maindreau. « Par exemple ? » Que lui-même, prétendait-il, ne s'en souvenait pas précisément. Corollaire de la réponse : « Vous les keufs occupez-vous de ce qu'on vous demande et laissez-nous le reste. » Comme si ce n'était pas eux-mêmes qui au matin avaient appelé au secours.

Mécanicien. Humiliation d'homme maintenu par ces ficelles qu'ils m'avait mises, et humiliation de ne rien pouvoir empêcher alors qu'il s'en prenait à celle qu'il disait Cathou (je ne m'étais jamais habitué au diminutif et c'est par moi qu'elle avait réappris à accepter son prénom), humiliation seulement qu'il se permette de parler d'elle comme si toute elle n'était pas ce qui m'en revenait par la vie qu'avec elle je partageais, humiliation que son nom passe par sa bouche en propriétaire. Ce n'était pas que nous vivions ensemble. La caserne était en face. La garnison c'est une suite de mois vides à obéir à des ordres vides aussi, et deux heures chaque après-midi pour se traîner jusqu'en ville et revenir. Ça s'appelait place de l'Europe et ce n'est qu'un carrefour de six routes, à quatre cents mètres de là, et là qu'on avait nos habitudes. On se retrouvait pour prendre un pot. J'étais au « drap » : repassage des uniformes, stockage des couvertures. J'avais vite repéré cette fille, embauchée au PMU place de l'Europe, qui elle voyait du bidasse quarante par jour tous les jours et n'allait pas s'intéresser à un en particulier, surtout pas Joël Maindreau, descendu de son Nord aide-mécanicien (et resté ça depuis). On a parlé. Et lentement, très lentement, pris l'habitude de se sourire. Elle était seule. Elle m'a invité. Les collègues me charriaient, j'ai laissé tomber les collègues. Ils ont essayé de l'embêter elle, et j'ai réagi fort. Un samedi soir, place de l'Europe, un type s'est retrouvé le nez cassé et a eu le bon goût, à l'hôpital comme devant les flics, puis encore devant notre police militaire, de ne pas dire à qui il devait ça. Alors on a été tranquilles. Les permissions du dimanche, c'était chez elle, les permissions de trois jours c'était chez elle, et quand un beau jour j'ai rendu l'uniforme et le paquetage, que les autres sont partis en braillant « Zéro » vers la gare, moi j'ai seulement traversé la rue pour m'installer chez elle. L'été on trouve plus facilement à s'employer, il y a le maïs à castrer, un mois durant dans les champs. Ensuite, un chantier de charpente, puis l'hiver ce n'est pas trop la saison du bâtiment. Je cherchais mécanicien, même chez Renault ils ne prenaient déjà personne. J'étais chez elle allongé, c'était provisoirement mes journées, là qu'on coûte le moins cher à sa propre bourse. Le type j'en avais entendu parler, forcément. On avait eu des lettres de la copine, il y avait eu des problèmes, ça carburait mal. Son type l'avait battue. Et même plus, un soir, avec une cigarette : il fallait qu'elle parte. C'est ce que Catherine avait répondu dans sa lettre. Elle n'avait qu'à revenir, on s'occuperait d'elle, et donc elle a débarqué, on ne savait pas que l'autre suivait avec sa Mobylette. Elle n'allait quand même pas revenir chez sa mère dans sa chambre de gamine. Il était facile, bien facile, moi je lui disais quand elle est venue, de repartir pourvu qu'on change de case de départ, maintenant que sortie de l'orbite de ce type. Qu'on verrait bien (ou qu'on ne verrait pas) ce qu'il deviendrait tout seul, mais qu'elle avait payé, et assez. Et moi je pensais : qu'elle n'ait pas ramassé au passage un gosse sur les bras c'est déjà un avantage pas fréquent dans ces aventures-là. Mais les deux filles elles y pensaient, au type que moi je n'avais jamais vu : « Laisse béton, je disais, là-bas à Marseille il trouvera bien de quoi s'amuser. Allez, on passe l'éponge, on oublie les misères. » Déjà le matin, encore dans la nuit, le téléphone avait sonné, on entendait un bruit de fond de l'autre côté, un bruit de bistrot ou de cabine, et personne n'avait parlé. Sylvie craignait, c'était dans l'air. Elle nous a raconté une histoire d'Allemagne, de coups, et partie déjà à la gare, et lui la rattrapant là-bas, une discussion, et on recommence pour un tour. « Tu ne m'avais jamais dit ça, disait Catherine, moi ça m'aurait suffi. » Mais assez grande pour se défendre, moi je pensais, et une bonne porte de bois pour la lui fermer au nez, pensions-nous, si jamais le type il lui prenait de venir. Quand ça avait frappé le verrou n'était même pas mis, ni cette chaîne dont on se servait jamais, qui pendait. Je n'avais pas tourné la poignée qu'il a poussé, m'a mis ce tournevis devant la figure, presque dans le nez, j'ai reculé. Où elles étaient, si elles allaient rentrer et quand. Je n'ai pas voulu répondre. « Présente-toi, mon gars, j'ai dit, moi c'est Joël. » Et paf son coude dans la figure, un type qui savait se battre et c'est ce que j'ai pensé : ces manières-là ça ne s'apprend pas tout seul et en une fois. Alors je n'ai plus frimé.

L'amie. De tout ça il avait fallu subir la reconstitution, et en présence de ces têtes d'épouvantail qui prétendaient de nous-mêmes tout connaître, devant lui, Frank, qui baissait les yeux et pliait le cou, se mettait machinalement où on lui disait de se mettre, poignets menottés et un gendarme à côté qui avait une tête de plus que lui. Je n'ai plus jamais croisé son regard. Moments qu'on passe à attendre, dans des mises en place encombrées et maladroites, laborieusement rejouant ce qui était arrivé si vite et sans penser comme dans les rituels qu'on voit parfois à la télévision de ces théâtres d'Asie, d'autant qu'eux les épouvantails parlaient pour nous. Nous saurions donc que lui, Frank, avait pu agripper les mains de Joël et les lui coller avec sa bande chirurgicale, puis le repousser (avec quinze centimètres de moins il faisait le même poids et profitait de la surprise, Joël ensuite en plaisantait : « Ces bas-du-cul c'est de la viande brute ») contre le radiateur et l'immobilisait. Que trois heures durant il ne s'était pas arrêté de lui parler, provocant ou angoissé, racontant avec obscénité ce qu'il supposait de Joël et de moi, et lui exposant ce qu'il projetait de faire le soir même à notre retour : une vengeance, disait-il, et qui toucherait aussi bien Sylvie que moi-même, « Cathou », comme il m'appelait. Que la seule pensée de Joël était de nous prévenir, tout faire pour que nous ne rentrions pas, et quand nous-mêmes sommes arrivées, qu'il a tapé du pied depuis l'autre pièce et gémi aussi fort qu'il pouvait avec sa bouche prise, nous n'avons pas compris, sommes entrées quand même, tête baissée dans le piège et le garçon s'écroulait.

Mécanicien. Les pieds et les mains pris, et sous son regard incapable de tenter de m'en défaire. Même pour pisser, juste il est allé à l'évier de la cuisine et ne m'a pas quitté des yeux. Je lui ai demandé à en faire autant, il m'a seulement montré le radiateur où j'étais, désigné avec un rictus mon pantalon et la moquette. Et moi j'ai pensé : si tu as besoin de cette ironie et de ce mépris, c'est que tu n'es pas si à l'aise non plus dans tes pompes, ça m'a presque rassuré. Ce n'était pas une machine, ce type on pouvait encore peut-être le manipuler, comme sous le palan on tourne un moteur qui fait cinq fois votre poids. Il a pris une chaise retournée en face de moi à un mètre, sa tête encore plus près quand il parlait, et recommencé ses explications sur les deux filles, ce qui avait manqué avec la sienne et comment il rattraperait ça, et ce qu'il nommait encore et toujours sa vengeance, et qu'on ne se mettrait plus en travers de son chemin. Et cette chaise restait au milieu de la pièce, toute la nuit il jouait avec, et c'est par elle, la chaise, qu'on le materait comme on fait d'une bête en lui écrasant la tête.

La femme. Gâchis mineur comme chaque fond de ville en charrie et qui n'influe pas ses mouvements de surface, mais toute une vie ébranlée pourtant d'avoir passé par ce tourbillon mince. Tandis qu'au matin on nous menait à l'hôpital pour examen les voitures recommençaient de se traîner aux feux verts en direction des franges plus incertaines des bâtiments carrés isolés de ronds-points où sont usines, entrepôts et bureaux. Et dans les couloirs même de l'hôpital les filles en blouse propre s'assemblaient devant les machines à café, à peine curieuses de nous voir (nous savions nos faces blanches et nos yeux violets, battus, nos vêtements abîmés d'avoir été roulés par terre et d'avoir tant attendu, transpiré aussi). Quand tout serait trop tard et que l'autre, le mort, celui que je connaissais même pas, reposerait sur le canapé. Trop tard pour nous tous qui repartirions brisés sur les chemins divergents où nous ne nous reconnaîtrions plus. L'estime même, impossible à reconstruire. Il s'écoule en France trente mois entre une nuit comme celle-là (le tournevis planté dans le ventre d'un anonyme indifférent) et le procès qui juge : trente mois plus tard, voilà que tous on se retrouve et que dans la tête c'est comme recommencer exactement le huis clos. Les quatre murs et nous, notre intimité suant son secret et le fou au milieu, dangereux.

Mécanicien. Tout serait bon, j'ai pensé, pourvu qu'on évite à ce type de regarder en retour sur lui-même, il me restait encore une bonne heure à mon radiateur avant que les filles rentrent. Le fatiguer et l'user, le dissiper en colère et en parole : « Calme-toi, déballe... » Qu'il écluse l'essentiel avant que les filles arrivent, et nous serions trois alors pour renverser la balance des forces et l'évacuer, lui dire de retourner où il voulait, au bout du monde si possible et si sa Mobylette voulait bien l'y amener. J'ai commencé de me trémousser, j'ai tenté de me défaire et pourrir ces sparadraps dont il m'avait couvert la bouche (il était arrivé avec trois rouleaux dans ses poches et comme d'obéir à un scénario prévu). Il s'est reculé puis assis à califourchon sur une chaise (la chaise qui douze heures plus tard me servirait à l'écraser). Il a découpé un bout de bande supplémentaire. J'ai résisté en poussant ma tête en arrière, en le retenant, lui, de l'épaule. Je sentais l'odeur de sa bouche, il me poussait de la cuisse. J'étais plus grand que lui, et malgré mes efforts il m'appliqua la bande collante sur les yeux. Aveugle pour dix heures de temps, dont chaque minute me sembla un jour entier. Et l'humiliation redoublait de ne pouvoir lui proposer un affront d'homme, se battre tout simplement, rouler avec lui par terre s'il le fallait, lui que je méprisais, pour que ce soit corps contre corps et force contre force. Je le lui signifiai par un geste et encore il se contenta de ricaner : « Später, Freund, später. »

L'homme. Ce type devant moi aveugle désormais était un chiffon, mannequin de son que j'aurais brassé à ma guise : maître de soi-même, c'est ce qu'on se croit parce qu'on reste les pieds fermes accrochés sur le vertige où on tourne et le monde entier avec. Mais au vertige qui vous a pris on ne commande plus. Poignée de corps d'hommes et de femmes tenus dans une main plus grande qu'eux et serrés : je voulais sur eux ma vengeance.

C'est eux qui m'avaient rejeté de leur cercle et renvoyé à la route pierreuse en oubliant leur dette. Et la dette est que, quoi qu'il arrive jamais sur le chemin d'homme, s'il vous a une fois pris ensemble un lien toujours vous tient sur les routes divergentes. Sylvie je lui avais tout donné et elle m'avait tout donné, je m'en serais revenu les mains vides en disant : ils ont méprisé ce que je donnais, ils ont considéré que je n'étais pas d'une taille et d'un poids suffisant pour continuer avec eux. Et tout ce que j'ai fait, et ce tournevis dans ma main, venait prouver justement que je ne les méritais pas : la haine s'aggrave de se savoir impuissante, de savoir qu'elle solidifie sous elle le chemin qui éloigne et qui sépare. J'aurais eu envie de pleurer mais qui aurait porté attention à mes larmes ?

Premier substitut du procureur. Constat établi au Centre hospitalier départemental que Frank, accusé principal, souffrait de contusions violentes à la tête, dues selon enquête aux coups de chaise portés le matin même par le plaignant Maindreau Joël au terme d'une séquestration attestée par examen médical des traces aux poignets, chevilles et au visage (dont traces vives d'arrachements pileux) d'une bande élastique autocollante. Que les deux femmes, Charles Catherine, locataire de l'appartement sis 119 avenue René-Gasnier, et Maillard Sylvie, domiciliée à Marseille quinzième arrondissement Chutes-Lavie, épouse légitime de l'accusé, qu'elle hébergeait, souffraient d'ecchymoses légères. Que nous requérions dès lors autopsie de la victime dont nous n'avions pas encore certitude d'identité, dont la principale conclusion fut une perte de connaissance rapide par suite de deux coups portés, en concordance avec les déclarations des plaignants, par un tournevis en possession de l'accusé Frank Arne, et que le décès survint sans reprise de connaissance au terme d'un délai non précisé qui ne put excéder une heure trente, nous conduisant à compléter d'une procédure de non-assistance à personne en danger les réquisitions principales d'homicide volontaire et séquestration avec violence.

Un acteur (« Mécanicien »). Parce que je ne suis pas acteur, mais simplement et réellement mécanicien : dans la vie c'est mon métier, j'en ai parcouru les étapes depuis l'apprentissage, les choses faciles qu'on fait d'abord, de plaquettes, de vidanges, de filtres, de pare-chocs à changer. Puis on se perfectionne, transmissions, boîtes et ponts, injection et carburation. J'habite au Mans depuis longtemps. Je n'avais jamais entendu parler de cette histoire, c'est arrivé pourtant il y a moins de deux ans, et à pas trois cents mètres d'où réellement je vis. Je vais au garage le matin, je passe dans cette rue. Tout ça est venu par hasard. Eux ils n'avaient pas trouvé le type qui conviendrait, ils trouvaient que ceux qu'ils essayaient faisaient trop acteur, enfin c'est comme ça qu'ils me l'ont dit. D'abord je les ai vus qui me regardaient (on avait en réparation la voiture de l'équipe, et ils cherchaient à louer des machines d'occasion pour leurs décors) et puis ce type à lunettes qui me parlait et racontait que lui aussi il avait eu sa vie dans des garages. Enfin on a été boire un coup ensemble. C'était à côté du garage, avenue de l'Europe, et le type m'a montré l'enfilade de l'avenue René-Gasnier et la caserne Verneau, en me disant : « C'est là qu'on va tourner. C'est ces façades, ce carrefour exactement qu'on veut, parce que ça dépasse de toute façon ce qu'on pourrait imaginer comme ça, en cherchant à le faire. » Ils m'ont proposé un bout d'essai. On a une ancienne cimenterie, ils y avaient monté leurs cloisons (une équipe de menuisiers dirigés par un rouquin qui s'appelait Michel, intermittents du spectacle et permanents du douze-

degrés : Angers est une région de bon vin).
Décors qui nous arrivaient à peine au nez, au
début ça surprend, c'était paraît-il une technique
reprise des vieux films et on est tout surpris à la
projection de ce qu'on ne s'en aperçoit pas, que
ça a permis de donner un peu plus d'espace au
tournage, jeux faux de la perspective et tout,
l'histoire aussi traitée de cette façon biscornue.
Les filles m'ont aidé. Même quand je jouais seul
elles n'étaient jamais loin, faisaient comme de
m'écouter, moi personnellement. Je ne sais pas
si j'en ferais un métier. C'est bien, ça aide une
fois à s'exprimer, mettre ce qu'on a dans la
patate. Des sensations bizarres, on sent mieux ses
épaules, ses jambes, on sent que tout ça a une
vie propre. Ils ne m'ont pas dit : « Apprends le
truc par cœur et régurgite. » Non, évidemment
je lisais en détail, et on pigeait ensemble : « Le
texte on joue avec et pas plus. » Le réalisateur
disait : « Que ça avance : que chaque séquence
de dix secondes soit une avancée précise et for-
mulable, pion exactement déplacé sur l'échiquier
général, dans une configuration qui ne reviendra
pas identique, sera épuisée dans son instant propre. » En fait, le cinéma, c'est surtout d'attendre
et d'attendre, et puis tout d'un coup on y va, ça
recommence. Même comment je devais me raser,

et que ça compterait dans le film. Et mes ongles, ils m'ont dit de ne pas toucher mes ongles : « L'odeur, je leur ai dit, ça vous intéresse aussi ? » On mangeait ensemble, cinq semaines ça a duré. J'aimais bien. On ne fait rien, et puis l'instant d'après : tout donner, mais sans rajouter. On reparlait de notre histoire. Il y avait ce mort, le type qui s'allongeait pour faire le mort, parce qu'on avait jugé que ça ferait mieux qu'un mannequin. Le même type en fait qui jouait le militaire, avec les maquillages et la perruque on ne s'aperçoit pas. Beaucoup de trucs dans le résultat sont de la triche, dans le bon sens du terme. J'avais pris un arrangement avec mon patron, c'est pas un mauvais cheval : cinq semaines sans solde, plus les deux avant pour préparer. Sans toucher en fait à mes congés. Je ne sais pas si je recommencerais : c'est bien une fois. J'ai repris le boulot au garage. Je ne sais pas non plus si les gars vraiment ça les intéressera. C'est trop ici comme tous les jours, la vie qu'on a devant nous pas besoin que d'autres la regardent. Ce qu'on demande au spectacle c'est plutôt le dépaysement, un peu de rêve. Le reste on a notre dose, on en a même de trop. D'abord ça ne regarde que nous, ensuite on est de taille à s'en débrouiller, sans personne. Et si vous voulez savoir, j'habite toujours Le Mans, et je ne crois pas que j'en bougerai. Puis l'argent je l'ai dépensé, en entier : je suis parti en Amérique, j'ai loué une voiture, une grosse, et j'ai traversé l'Amérique. Un truc que j'avais depuis longtemps envie de faire. Tout mangé, sans regrets. Ce n'était pas une somme astronomique, mais conscience propre, rien gagné.

Déposition 5 (sang)

La femme. Le type sur qui Frank s'est jeté ne nous était rien : le nom qu'il m'avait dit, place de l'Europe à la terrasse, tandis que j'attendais Catherine, je l'avais simplement oublié. Quand on a baissé le rideau de fer, il était toujours après nous. « C'est fini, on rentre. – Juste un bout de chemin. » Et toutes ces histoires qu'il m'avait forcée déjà d'écouter, d'où il venait, comme si une femme seule attirait chaque fois tout cela derrière elle. On a fait celles qui ne le connaissaient pas. En bas sur le trottoir : « Maintenant au revoir. – Jusqu'à votre porte. Jusqu'à votre porte et je m'en vais. » Paraît-il qu'il devait reprendre sa voiture quelque part et faire de la route, il nous avait même proposé de partir avec lui (et dans son haleine, à chaque mot qu'il nous faisait subir, toute la bière qu'il avait bue).

L'amie. Pour le mal qu'il nous a fait. Ce qu'on croit une frange misérable de l'aventure collective des hommes et soudain ça vous a rejoint et vous prend toute la durée d'une nuit sans qu'on puisse échapper, et le pire de ce qu'on supporte c'est cela, le sentiment d'inutilité totale. Rien d'autre dans le souvenir qu'une lumière jaune (au-dessus de nous l'ampoule nue qui toute la nuit avait brillé jusqu'à ne plus servir à rien). Et rien à excuser ni pardonner, pas de circonstance atténuante, celui qui se laisser aller à cela il doit payer, on n'a pas à considérer sa fiction à lui de ce qu'il nous a obligé de subir. Pour le gâchis de cette nuit et celui que par défi devant nous il a tué comme on immole une bête.

Mécanicien. Pour cette violence poussée devant soi sans se préoccuper de qui elle rencontre. Aussi idiot tout ça que ce qu'on lit dans le journal en allant au travail le matin mais qui s'est toujours passé à côté, un peu plus loin et pour les autres. Ce même sentiment qu'on a parfois, découvrant au bord de la route une voiture accidentée, un blessé sur l'herbe et les phares violents des véhicules de secours. Cette fois c'était nous-mêmes, et penser trop tard, sous la bande plastique qui me tirait les lèvres et les sourcils, m'étouffait les yeux, qu'un seul moment eût été possible pour résister, le moment même où j'ai ouvert la porte, que le bousculer et partir en courant était alors possible mais j'aurais su comment, j'aurais deviné comment ? Et pour celui-là, le type venu se mettre devant le tournevis comme un lapin sur une route de nuit quand on n'a même pas le temps de freiner ni d'éviter ?

Substitut du procureur. Et selon rapport après enquête, une enveloppe trouvée pliée dans la poche arrière de son pantalon permettait rapidement d'établir que le nom Frédéric Jean de la suscription correspondait effectivement à celui de l'homme vivant à Pornic, sans profession régulière, paraît-il embauché par intérim quelques mois par-ci et par-là dans l'entreprise spécialisée chargée des autoroutes dont notre région commence à être dotée. Ayant donc trouvé dans la liaison Angers-Nantes, puis le contournement nord-est de Nantes après le pont de Cheviré, enfin dans le début de l'autoroute Nantes-Niort et son premier tronçon jusqu'à Montaigu, revenu intermittent mais qui était sa raison principale dans ce que la société demande à chacun de fonction, on n'a pas besoin de diplôme pour ce dont il faisait sa qualification : branchements électriques des panneaux et éclairages, câblage des machines de péage avec un CAP d'ébéniste. Venu au Mans à cause d'une lettre envoyée par cette amie qui s'y déclarait, après leur rencontre à Pornic station balnéaire, sa fiancée ou le lui laissait espérer. En tout cas attachée à le revoir, et lui faisant aussitôt le voyage du Mans (sa voiture une Peugeot 205 facilement identifiable par sa surcharge en antibrouillards, en stationnement illicite place de l'Europe, avait été entre-temps mise en fourrière) pour ne trouver personne au gîte, la jeune personne étant partie en famille et sa famille près de Laval en Mayenne dans la ferme que le père tenait après le grand-père, l'adresse au Mans celle de l'hôpital où la nouvelle fiancée, aide-soignante au service de gériatrie pour son premier emploi, venait de prendre ses trois semaines du congé d'été, venu dans la ville pour rien, après trois cents kilomè-tres désoccupé soudain et engageant conversa-tion place de l'Europe dans ce grand café d'où l'hôpital s'aperçoit (sa fiancée s'étant logée près). Pour nous dont la route de vie s'est déroulée avec une rectitude simple vers le diplôme et les étapes administratives (on n'est pas premier substitut du procureur au Mans par vocation ni lors d'une première affectation), qu'un homme s'en remette ainsi au hasard et comme une boule tape les champignons d'événements mineurs en cascade n'est pas fait pour nous le rapprocher mieux que celui ou ceux qui en ont fait cette nuit-là leur victime, selon le dossier qui nous arrivait. Il a donc suffi d'un appel téléphonique à la brigade de gendarmerie de Pornic et d'une visite domiciliaire pour que le trou blanc du nom et de l'identité du mort se complètent. Et les dames en noir (le jeune homme apparemment n'avait plus de père, en tout cas il n'en fut question que pour l'établissement des formulaires légaux : Frédéric Jean fils de Jean Frédéric et de Billaud Marie épouse Jean) arrivaient en fin de matinée déjà et déjà donc vêtues de noir pour l'identification dont le premier substitut a légalement charge : « Billaud Marie épouse Jean, ou Jean Marie née Billaud, reconnaissez-vous... » suivi sur le formulaire du « reconnaît que le corps qui telle date telle heure lui a été présenté par Bourquier Jean-Thierry, premier substitut du procureur auprès du tribunal de la Sarthe, est celui de... » et ainsi de suite et il ne nous appartient pas de juger de la sévérité de l'épreuve quand dans le tiroir froid on relève le drap sur le visage d'un fils, et ce qu'elle commentait ainsi : « Et hier même heure qu'il me disait, je vais en balade ne m'attendez pas, je vais faire un tour, je ne serai pas là ce soir, je ne rentrerai pas. » Il n'est pas rentré.

Trois femmes. Et nous venons témoigner pour celui qui ne leur était rien et fut traversé d'un coup sauvage de tournevis puis laissé sans soins toute une nuit, à saigner sur un canapé et dire que c'était abject et sordide et que celui qui a fait ça n'a pas la tête faite comme celle d'un autre et que de sa case vide il nous doit raison. Et que le monde est fait ainsi de silhouettes qui passent sans qu'on les remarque et semblent plus que d'autres attirer la déveine avec elles, et ainsi notre Frédéric qui était notre fils, neveu, fiancé, parce qu'ainsi pour chaque humble silhouette qui marche inaperçue restent des liens qui font que n'importe qui échappe à la foule et reste un être unique. Que cet être unique, Frédéric, nous appartenait. Que nous sommes responsables qu'il n'était pas un visage terne dans la foule mais un être portant nom, à la démarche singulière parmi des milliers de figures et de démarches singulières, nous demandons raison. La vie est un don arbitraire, qui cesse tout aussi gratuitement et sans que la raison puisse légitimement s'en demander. On peut tomber d'un mur, être renversé par un camion ou pris par une maladie maligne, et le deuil est ce qui permet à celles pour qui il est toujours le fils, le neveu, le fiancé de se dresser et continuer encore, malgré tous les soins et les espoirs, malgré toutes ces heures dévouées à un autre et qui faisaient à rebours que vous aussi vous existiez, le deuil est ce qui autorise de continuer. Mais son meurtre fut gratuit et abject, et nous venons témoigner que le corps anonyme qui fut ce soir-là immolé à leurs jeux était un homme aussi dans des virages fragiles. Que c'est la fragilité et le hasard de son itinéraire d'homme, quand un homme cherche son chemin et sa maturité, qui l'avait ce soir-là rapproché d'eux, les fauves (parce que celui qui tenait le tournevis, il est trop facile de le dire seul coupable), et nous, dont il était le fils, neveu, fiancé viendrons demain sur le banc des parties dites civiles tenir accusation, pour un coup de téléphone reçu un matin à sept heures et nous invitant pour la « reconnaissance » à nous rendre dans un hôpital à deux cent quatre-vingts kilomètres de là, dans les couloirs froids et jaunes d'un sous-sol pour mettre quand même un mot sur ce qui résiste à tous les mots.

Médecin légiste. Je finissais mon petit déjeuner quand le téléphone a sonné. Le substitut du procureur m'appelait lui-même directement : « Alain, c'est du travail pour toi, est-ce que tu pourrais t'y mettre vite ? » J'avais un problème de voiture en plus. J'ai demandé à Bourquier, le substitut, un ami (on a eu l'occasion de quelques virées à Paris), s'il faisait beau et j'ai répondu : « Alors je prends la 125. – Tu me l'ouvres sans trop de dégâts ? – La famille ? » A travailler ensemble on finit par se comprendre en trois mots. On a pour ce travail un vrai bloc opératoire (ils ont remplacé ceux de l'hôpital, on a hérité d'un des vieux), il y a beaucoup de rubriques fixes dans l'inventaire administratif qu'on fait de l'apparence d'un corps. Un corps est un livre, tout s'y marque d'une histoire. Et quel détail sera celui qui compte ? On s'aperçoit de curiosités, de détails qui vous feraient paraître l'espèce, quand on a pratiqué un peu, comme un étrange réservoir de singularités pointues, la pression continue et diffuse qui vise toujours à transformer, et qu'une loi commune maintient. Celui-ci avait à gauche un orteil lié à l'autre par une peau (une petite intervention chirurgicale aurait réglé ça, qui n'était pas au demeurant bien gênant). On a dû regarder le cuir chevelu, et fait les prélèvements habituels (au cou, au poignet et à la cheville, petites lamelles de peau pour l'analyse, conservées ensuite dans le dossier juridique lui-même). Puis j'ai ouvert. Le bloc qui nous est réservé est au sous-sol sans fenêtre. C'est ainsi qu'on peut aider à fixer une heure. Pour les plaies elles-mêmes (dix coups de tournevis, dix !) ça n'a pas été compliqué : il faut seulement être précis, pour le rapport. « Trois des ces blessures étaient susceptibles d'entraîner la mort. Elle est survenue très vite, en quelques minutes. » On s'étonnait : les deux femmes avaient prétendu que ça avait duré des heures, l'agonie. « Ça bouge, un mort », j'ai dit. J'ai maintenu mon analyse. On ne se rend pas compte, on se dit : il faut le sauver, il faut faire quelque chose. C'était déjà fini, sans rattrapage, sans ambiguïté. Quand l'ami Bourquier m'a invité au restaurant le surlendemain, ce qui m'a fait rire c'est la réflexion du type : « Je ne peux pas vivre sans toi, je vais te tuer. » Ce Frank avait dit ça à la fille. C'est le romantisme allemand tout entier, mais à l'envers : « Je ne peux pas vivre sans toi, je vais me tuer », version plus classique. Ou plus romantique encore : « Je ne peux pas vivre sans toi, allons nous tuer ensemble. » Et c'est ni lui ni elle de toute façon qui serait devant l'arme et écoperait, mais l'objet blême sous la lampe, maintenant devant vous l'estomac tenu ouvert par des pinces inox pour y racler les résidus de repas et mesurer la décomposition des molécules d'alcool, avec l'incongruité de cette peau de trop entre deux orteils.

La mère. Le téléphone a sonné, Sylvie a dit : « Maman, viens tout de suite. » Qu'est-ce qu'elle avait à me dire je ne sais pas, mais je la sentais en larmes ou tout au bord. La veille au matin j'avais été bien surprise quand ça avait sonné à la porte et que c'était elle : « C'est moi. – Sans ton mari ? » Et on n'avait pas eu besoin d'en parler plus. « Comment va Papa ? » Je supposais bien qu'elle était à dormir chez son amie Cathou : « Tu es chez Catherine ? – Oui, viens vite. » J'ai fini de m'habiller (c'était le matin à six heures, j'étais levée depuis longtemps). On pense juste à des bêtises : « Et si la voiture (ma vieille Renault 4) n'allait pas démarrer ? » Des fois elle a des chichis. En arrivant j'ai vu les fourgons des gendarmes et les ambulances, il m'a fallu repousser ces hommes pour avoir le droit de monter, je ne comprenais rien. C'est seulement quand je l'ai vue, elle, et su qu'elle n'avait rien, que j'ai regardé les autres, qui il y avait que je connaissais dans tout ce monde. Lui je ne l'avais jamais aimé mais est-ce que ça aurait changé quelque chose, on a des pressentiments comme ça, qu'on est bien incapable d'expliquer. Et il a fallu qu'encore je le croise, c'est lui qui a détourné les yeux et plié les épaules. On l'a emmené, menottes d'acier au poignet entre quatre gendarmes, cette fois l'aventure était close, mais il avait gagné sa partie puisque le cauchemar désormais volerait sur la tête des autres. Aussi cet homme c'est de ma haine que moi pour eux tous je le poursuis, et que j'irai jusqu'au bout même si eux sont trop faibles. Moi je reste dans la vieille date, ce matin-là à six heures quand c'est lui qui a détourné le regard.

La femme. Revenir, revoir une fois de plus la gare et sa place d'une ville qu'on aurait préférée à jamais derrière soi, et rien de la place ronde ni des noms des hôtels ni de la lumière même du ciel (parce que jamais le ciel n'est pareil en aucun endroit de la terre, et l'odeur même du vent ou le bruit particulier de la ville ou quoi d'autre, mais on se sait revenu et c'est un sentiment mêlé), rien n'a changé. Avoir cru qu'on avait changé, qu'on s'était échappé du pire, qu'on avait mûri et que les mêmes miroirs tournants ne nous prendraient plus, pour venir d'un terrain trop petit, même étroit, avec les lueurs trop fortes de la famille qui cerne le pays, chaque quartier ou chaque route associés à un parcours ou une date, et puis il y avait eu le marché d'Uzès et le sentiment d'aventure, d'un chemin plus rebondissant sous les pas, par où il serait possible de s'en aller sans plus revenir. Et puis j'étais revenue seule, et j'avais repris ma place et c'était déjà le même sentiment d'image immobile et d'une ville comme un jouet. Et puis c'est lui-même qui venait, et le sentiment d'aventure qui imposait jusque là son illusion, parce que la ville était devenue sienne, qu'il dormait je ne savais où, dans des voitures disait-il, ou une construction en cours, et qu'il m'attendait à la sortie de mes heures de travail quand personne n'aurait dû aussi visiblement m'attendre, que ce n'était pas la norme ici d'ainsi afficher au-dehors l'univers réservé des chambres. Et puis nous vivions ensemble, et la ville était redevenue un jouet, et la famille avait repris poids, par l'acceptation de ce qu'elle n'approuvait pas demandant rançon plus forte encore et j'étais dans le piège. Nous nous sommes mariés, et c'était pour moi abolir la rançon. J'affirmais ma possession, et qu'eux n'y pouvaient plus rien dire. Et c'était courageux, je pensais, et en dehors des routes ordinaires, que la cérémonie s'en fasse juste entre nous, Catherine mon amie pour témoin, et qu'ensuite nous déjeunions ensemble, et que le soir, seulement, mes parents aient préparé un dîner avec la famille. La rançon est devenue plus insidieuse, sirupeuse : nous étions reçus. Lui s'habituait trop aux repas du dimanche, aux longueurs et aux paroles vides, à la preuve qu'on essaye de se donner par les autres d'une existence singulière, quand eux-mêmes jouent le même jeu et que chaque dimanche après-midi c'est sur la surface entière d'un pays que globalement il s'annule. Maintenant il jouait aux boules avec mes oncles. J'ai poussé pour qu'on parte, il a résisté et j'ai pensé que je pouvais, que j'avais assez de force pour le remettre sur la grand-route où lui était quand je l'avais trouvé. Nous sommes partis un jour, et nous avions peu de bagages. Nous avions pris ces trains et nous suffisions, tous deux, pour transborder aux gares et changements le peu qui était notre propriété. Et là-bas la ville était un jouet pire. Et la famille, la sienne, indifférente. Et la chambre une prison puisque la parole même avait cessé : je ne savais pas les mots, les sons ni les phrases. J'ai tâché d'apprendre, j'ai fait des efforts (prononciations qui toujours vous échappent). Ce sentiment toujours que c'était à moi de tirer seule pour les deux, est-ce que ça en valait la peine ? Pour la prison il ne m'avait rien dit : une histoire de voiture volée, de service militaire pas fait, il avait ça derrière lui quand il avait passé la frontière et commencé de monter des manèges au hasard du déplacement des foires qui l'avait mené à Uzès. Je lui ai proposé de régulariser, et qu'on soit tranquille et moi la tête fière. Il s'est livré, et cela a bien atténué le prix : quelques semaines, où je l'ai visité. La norme ne lui convenait pas. Lui est plutôt de ceux qui marchent la tête mieux droite quand ils ne savent pas derrière eux la pression de ce qui est la surveillance commune, qu'ils préfèrent contourner. Il fallait vivre désormais en homme ordinaire, il a essayé de bonne volonté : il est entré en usine et faisait son service. Puis il n'a plus voulu, et nous avons voyagé. Une nuit que nous avons roulé sans dormir (nous avions la voiture de ses parents et emporté des musiques fortes) pour rejoindre cette mer d'un gris presque blanc que nous n'avions jamais vue, lui pas plus que moi. Vieilles villes hanséatiques, si étrange c'était au matin de s'y réveiller, les canaux sous les maisons et les lettres d'autres alphabets aux flancs noirs et rouges des bateaux : j'ai eu du bonheur et j'en paye le prix. Il a fallu rentrer. Cette fois, chez lui, il a fait livreur avec une camionnette, puis aide-menuisier dans une fabrique de meubles, il a essayé. Puis il arrêtait, c'était trop long, et on ne pense qu'avec effroi au très long chemin routinier de vie, où plus rien ne change, où tout est réglé. Il ne trouvait plus. Dans la ville jouet sa réputation était faite. Et il y avait la bière. C'est alors qu'il m'a battue, et a décidé qu'il fallait fermer la porte à clé lorsqu'il s'absentait. Nous étions mariés, nous n'avions plus qu'un corps et les yeux mêlés comme les mains liées, et pourtant j'avais peur. J'ai voulu qu'on reparte et il l'a pris avec soulagement et j'ai cru que malgré la peur ce serait échapper à la déchirure. Et si un de ces jours-là j'avais repris seule le train, il aurait préféré certainement la routine des copains, de sa langue, des bières bues ensemble. *Die Franzosin*, puisque c'est cela que j'étais, sans nom, aurait passé dans la mémoire.

L'homme. Et trente mois plus tard, comme si nous n'avions pas cette nuit-là suffisamment réglé nos comptes, les voilà après moi comme chiens. Comme si un procès n'était pas la seule affaire de celui qui a dérapé, mis devant la loi d'un monde anonyme. Cela ne les regarde pas, le prix que je paye n'est que pour celui qui les avait accompagnées ce soir-là. Comme on va à l'abattoir, rempli de pensées ambiguës, de l'espoir de femmes disponibles et à prendre pourvu qu'on tente sa chance, parce qu'on sera là et pas un autre au moment que tout individu femelle ou mâle a ce trou dans le milieu de la nuit où on s'abandonne (parce qu'est commun le besoin de consolation et qu'on ne pense plus à rien qu'à l'instant). Dans sa tête celui-là s'imaginait peut-être que serait possible d'oublier l'habituel échec, la vie tracée d'avance et les mains grosses du travail aux machines et la face aux traits trop carrés de celui qui n'est pas sans cesse rongé par le souci. Il est venu à moi et ce qui fut puni c'est ce qu'il s'imaginait possible de filles qui étaient à lui ce qu'est un oiseau dans le ciel aux bêtes rampantes et visqueuses, infirmes. Et moi, qui avait frayé avec elles bien avant qu'il paraisse, j'étais de même lignée. Mêlé par la chair, le sang et les salives j'étais comme elles, les deux filles, rapace. Il fallait un trait de feu, et la loi prouvée du métal et de la violence qui nous soumet tous parce qu'on n'a pas choisi de vivre ici-bas, sur les routes cahoteuses du monde. Et le trait de feu tomba comme une preuve sur celui qui venait au-devant de moi, plein de sa concupiscence infirme. J'ai frappé, je paye. Leur monde est une épicerie où facture chaque fois vous est remise de ce qu'on a voulu attraper des rayons, à portée de la main, ou un

73

peu plus loin dans les coins sombres, et tant pis si ce qu'on a pris est rance ou périmé. On est devant le comptable en blouse grise. J'ai attendu trente mois dans ma cage, et demain ils m'amèneront devant eux, les déguisés, robes et bonnets du simulacre, tandis que dans le parking souterrain à cartes qui leur est réservé leurs voitures à siège de cuir, celles que mon pays fabrique parce que les robes et les bonnets ne rouleraient pas dans des voitures ordinaires, attendront patiemment les poignées de main molles qui suivront leur travail fait selon les prévisions normales, et fiers ensuite, dans leur habits civils du monde tel qu'ils le voudraient, bien balayé dans les coins sombres de l'homme, fiers que le gardien du parking réservé les salue comme si, de ce monde bien balayé, ils étaient une possession précieuse ou moins blafarde que les autres, sans visage, qui passent sur le trottoir. Et j'aurai retrouvé ma cage.

Un militaire. Ville indifférente où une gare vous porte, et qui reconduit la même structure prévisible qui est le visage pour tout un chacun d'une ville, et prévisible visage des rues pour le militaire affecté. Avenue trop longue avec un mur trop haut, et l'alignement réglé des toits. Non pas que la vie ici soit plus dure qu'ailleurs. Il s'agit de parcs de pièces de rechange, et, parce que les pièces n'ont pas besoin d'être changées, on astique et on vérifie facilement les blocs moteurs et les essieux de toute façon dépassés qui attendent sur les palettes de bois, dans les entrepôts. Et on passera un an là dans le dortoir, et boira le soir de la bière à la salle de télévision, on regardera au travers de la fumée des cigarettes le baby-foot du foyer du soldat toujours occupé par les quatre mêmes. Deux fois dans l'année on nous emmènera en camion pour une marche en campagne obligatoire, au terme de quoi on tirera au fusil histoire d'avoir les oreilles qui vous sonnent pendant trois jours. L'événement principal et seule intrusion extérieure dans notre monde des murs jaunes était alors l'arrivée du camion de livraison de bières. Voilà comment, comme des lycéens, on était à déambuler chaque fin d'après-midi le long des murs de l'avenue René-Gasnier (nous ne saurons pas qui fut René-Gasnier), la permission accordée pour ne pas avoir la responsabilité de fauves enfermés, et jamais nous n'allions plus loin que place de l'Europe (une place ronde avec un carrefour en étoile et le tabac-PMU où nous achetons nos cigarettes et buvons une bière meilleure parce qu'à la pression et fraîche). Et jamais venue à l'un de nous idée de prendre sur sa solde le prix d'une bière pour profiter des autobus de la ville, dont un terminus est la caserne et l'autre le terminus du chemin de fer. Ce soir-là quand je suis passé sous cette fenêtre j'ai entendu un cri, un rideau rouge fut tiré brusquement. C'est des intuitions qu'on a, j'ai téléphoné au poste de police, on m'a ri au nez et dit qu'on n'intervenait pas pour un rideau tiré dans la vie privée des gens, ou pour un appel vaguement perçu derrière la fenêtre d'une façade terne. Pourtant je savais : il y a parfois un gouffre dans le fond d'un cri. Et c'est pour cela que de Metz où j'habite j'ai dû retraverser la France et venir témoigner de ce qui ne fut pas entendu ni compris alors qu'il était temps encore.

Mécanicien. Parce que la télévision hurlait et qu'il nous avait interdit d'y toucher, pensant que cela couvrait la voix des filles. Et ne sachant pas ce que moi je savais, qu'en dessous c'était de toute façon inhabité, qu'il n'y avait personne. Et qu'au-dessus le bonhomme s'en fichait pas mal, qu'il revenait le soir avec deux bouteilles de vin en plastique tandis que sa femme (et je la saluais chaque matin) partait pour sa faction au centre de tri des Postes en service de nuit. Et au matin, dans les lumières orange et bleues des véhicules de secours, une fois la bête assommée et mise hors d'état de nuire, qui avait sévi toute la nuit, ils seraient tous dans la rue encore noire et cette froide pluie d'aube, certains en robe de chambre sous le parapluie : il était bien temps de s'occuper de nous. L'autre, celui dont nous ne savions même pas le nom, avait de longtemps bleui sur le canapé, et dans l'ambulance qui l'emportait il avait le drap sur la figure. Je me souviens du bruit régulier d'avance, au long de l'avenue, du camion de ramassage des ordures et qu'eux non plus nous ne pouvions pas les appeler, qu'aucune aide n'était possible, à cinq mètres et deux étages de la vie réglée des hommes, dans ces longues rues qui s'en vont des villes et qu'on se demande bien ce qui existe, vit et parle, derrière les fenêtres hautes et les portes régulières. Il se passait cela, un homme mort pour rien et trois êtres sous la coupe d'un autre, qui sentait de tous ses vêtements l'odeur insistante de mélange deux-temps brûlé, les veines de ses yeux injectées de rouge (un moment il avait d'un coup de pied lancé son casque, son propre casque de Mobylette, contre un meuble du séjour et j'avais pensé : s'il perd son contrôle on a nos chances, il s'use). Cassure sur nous, et salissure : et rien qui change la surface endormie de la ville dans ses murs et ses cours. Il y aurait deux colonnes dans *Le Courrier de l'Ouest* du lendemain, un peu plus dans le suivant, plus rien pendant trente mois, jusqu'à ce qu'ils se réveillent hier pour le procès d'assises. Cassure et salissure sur nous de ce qu'on n'avait pas su détourner et qui infléchirait chacune de nos vies un moment nouées : se séparer pour ne plus jamais supporter le face-à-face, Catherine et moi seuls tous les deux avec sur le parquet au milieu, bloc noir d'un temps confus et graisseux, l'ombre du mort.

Un acteur (« militaire »/le mort). Parce qu'en fait je suis danseur, dans une ville voisine, Angers, dont c'est un peu la spécialité. Et pour une chose étrange qu'ils m'ont dite : que je n'avais pas l'habitude de parler, que ça s'entendait quand je parlais que je n'avais pas l'habitude de parler. Et puis, quand ces trois femmes venaient, il leur fallait ce type peint en blanc, censé être leur mort, qui tournait lentement devant elles au milieu, et jouer de ça comme on jouerait d'un mannequin. Ils m'ont dit : « Tu regardes devant toi droit au travers, comme si tu perçais caméra et le reste. » On a parlé des vieux paysans rebouteux du coin, et leurs astuces pour jeter un sort. Quelquefois dans le film c'est un mannequin, et même une fois j'ai dansé avec comme on danserait avec soi mort. Pour eux c'était du théâtre comme le reste, on a insisté : un théâtre vivant, une danse bloquée. J'étais ce mannequin, je sentais leurs voix à travers moi, j'essayais que ce que je faisais, complètement immobile, leur renvoie cette intensité dont j'avais besoin pour moi. Que cette immobilité soit encore un reproche. Le militaire c'est venu d'un seul coup : je crois que moi aussi je sentais mieux le travail du mort en faisant à côté un vrai personnage. L'irruption, comme sur une frange lunaire, de ce qui entoure la vie ordinaire de paroles qui pourraient être celles d'un chœur à l'arrière-fond, bruit de tout le roulement du monde. Que toute la quantité de vérité atteignable tienne à ces personnages venus d'un coup du plus extrême bord au centre de la scène. J'aimais beaucoup le militaire. Moi-même je dois bientôt partir au service et ce n'est pas gaieté de cœur, vous penserez à moi n'est-ce pas ? Ce n'est pas facile d'être danseur, homme qui danse.

Déposition 6 (rébellion)

L'amie. Et tandis que ce poste hurlait ses banalités affreuses (c'étaient les informations et la guerre, là-bas plus au sud mais il y a toujours une guerre et le cortège de terreur des hommes avec les hommes) lui nous assenait ce qu'il considérait sa vérité comme si tout ne pouvait pas désormais être entre eux deux, Sylvie et lui, fini. Tout était préparé, sa tête pendant les quinze heures de Mobylette dont il nous ressassait le détail avait organisé chaque variante de ce qu'il nous infligerait. On se réfugiait encore dans l'idée qu'il voulait nous faire peur et s'userait lui-même à son jeu. Maintenant il déballait pour nous trois ce qu'il savait devoir nous détruire bien mieux que son gâchis au tournevis, et personne ne comprenait au-dehors ce qui se passait ici, et moi-même quand je tentai d'un coup de courir et me projeter sur la porte croyant la casser il me laissa faire une seconde et puis me repoussa : les volets étaient fermés, les deux clés de la porte dans sa poche et elle était bien trop solide, cela cesserait donc quand, lui criai-je, et comment donc imaginait-il s'en sortir et que tout ça ne le rejoigne pas : « Alles egal, Schatz, alles Scheise. »

La femme. Après les pompiers et les secours j'avais appelé ma mère et le temps de la première sonnerie je me disais : « Mais pourquoi ? »

L'envie brute alors de raccrocher mais déjà c'était elle et c'était mon nom qu'elle disait quand moi je ne m'étais même pas annoncé : « Sylvie c'est toi ? » Ma mère ne connaît dans tout son rapport au monde et aux autres que la position du reproche, et jeter comme sous la fatalité générale ce qui pour nous n'était qu'une conjonction malheureuse où trop d'éléments s'étaient assemblés pour s'amplifier l'un l'autre : j'aurais vu Frank l'après-midi seul à seul, est-ce que je n'aurais pas su le raisonner, dévier sa force comme on met un train sur voie à l'écart ? Provoquer des larmes, mettre une main sur sa nuque malgré le dégoût où je pouvais être qu'ainsi on me poursuive : j'avais rompu, j'étais partie. Un moment, dans la nuit, passant devant lui, j'entrai dans la seconde chambre, celle que Catherine m'avait prêtée, où j'avais mes affaires, et refermai la porte, tirai un verrou. J'ai ouvert la fenêtre, et j'aurais sauté des deux étages sur le ciment d'en bas, parce que ce qui arrivait n'était pas de ma faute, mais en avait entraîné trois autres dans ce qui ne concernait que moi et celui qui était encore mon mari. La fenêtre avait des barreaux (deux tiges de fer à épines pour empêcher les monte-en-l'air). J'ai tiré, puis crié et crié. Nous saurions plus tard que pour beaucoup les logements qui donnaient sur l'arrière-cour étaient vides ce soir-là, mais deux au moins occupés, d'où mes appels ont été perçus, personne pour autant ne jugeant bon d'intervenir. Frank ne quitta pas les autres, ne leur laissa pas la pièce, mais réussit à ouvrir d'un coup de pied parce que le verrou n'était qu'un petit verrou de placard qui tenait mal, me força de revenir dans la pièce principale et nous mit face à lui, où Joël était toujours debout contre le radiateur. Il aurait fallu un hasard favorable, ils ne sont pas toujours à votre service, rien ne se passe non plus d'héroïque qui vous permette d'échapper.

Inspecteur. Etabli que la femme Maillard Sylvie pénétra vers 21 h 40 dans la pièce du fond dite chambre d'amie (elle est meublée d'un lit de camp) et par la fenêtre grillagée communiquant sur l'arrière-cour tenta d'appeler au secours. Que témoignage fut enregistré dans l'enquête des occupants de deux logements du 119 avenue René-Gasnier et du 121 même rue, qui concédèrent avoir perçu les appels mais dont la réaction fut de dire, et le répéter tel quel à l'enquête : « Ils sont cinglés ceux-là, quelle bande de tapés et jamais ils ne vont se taire. » D'autre part : « Si ça continue on appelle la police. » Mais se contentant donc de fermer portes et fenêtres, et ajoutant à l'enquête : « Ah si on avait su, si on avait pu imaginer. »

L'homme. Je me souviens de Romorantin. J'y étais arrivé dans le nœud de la nuit, j'étais resté longtemps. C'est un endroit pour les camions, mais quand à la station ils ont vu la Mobylette ils ne m'ont rien demandé : on ne suppose pas que ces engins viennent de loin, et pourtant Marseille-Le Mans en quatorze heures c'est possible je l'ai fait, on traverse un pays en diagonale sans que personne remarque rien. On tient serré le guidon, on suit le bord parce qu'on n'a à l'arrière qu'une petite lampe rouge et les camions quand ils vous doublent passent bien près, on ne croirait jamais que c'est si long un camion. C'étaient des routes nationales, et le bruit plus aigu du moteur quand il fallait escalader, et plus grave en allant plus vite (des pointes à quatre-vingts) quand on redescend quasiment en roue libre. Et moi je pensais : « Si la bécane ne tient pas je m'arrête, n'importe où que ça sera. Je trouve bûcheron, maçon ou n'importe mais je reste là, je ne bouge plus et aucune des deux n'entendra plus jamais parler de moi. » Mais la machine roulait et j'étais déjà à Romorantin, après il n'y avait plus qu'à descendre sur Blois et ce serait deux heures de plaine aux confins de l'affreuse Beauce pour être là-bas, au Mans. Si je ne la trouvais pas au Mans, elle qui était partie, c'est qu'elle avait joué moins simple que je le croyais, qu'elle ne me ferait pas honte devant eux, le tribunal du conforme, la famille et sa copine qu'à ce moment je haïssais plus qu'elle encore. Si elle n'y était pas, c'est qu'elle avait voulu jouer pour elle seule et non pas appeler sur nous ces fantômes de ceux que nous avions déjà une fois quittés. Et je me disais : « Si je ne la trouve pas au Mans, je remonte en Allemagne, après-demain la Mobylette m'aura ramené à Œlde » et là-bas aussi, chez moi, dans ma langue, je trouverais, repartirais, elle n'entendrait plus parler de moi. Ce qui restait en arrière serait en guise de dédommagement. A Romorantin je n'en pouvais plus, sur la Mobylette mes yeux se fermaient, une fois je roulais à gauche complètement de la route, s'il était arrivé un camion je n'aurais eu le temps de rien, et lui non plus, avec le petit phare jaune devant. Et cette fatigue, qui n'était pas celle de la monotonie de rouler, quand c'est à soixante kilomètres-heure qu'on enfile les distances, mais ce soulagement qu'enfin elle avait décidé de partir. J'étais donc, moi, incapable de cela aussi, qui était si simple ?

Ne jamais laisser le moindre détail qui aurait pu la détendre ou la satisfaire, garder devant elle cette ironie qu'elle n'aimait pas. Même ne pas poser de question peut être insultant et contribuer à cette pression intérieure : son univers ne comptait pas, ni les projets qu'on aurait pu avoir ensemble. Jouer celui à qui tout indiffère pour mieux ensuite faire celui à qui cela ne convient pas, rôle d'une victime éternelle alors qu'on reste dans son salon à picoler devant la télé et même si c'est vrai qu'il n'y avait rien à faire, rien à trouver. Les lumières du routier s'annonçaient de loin par une enseigne violette, l'alignée de réverbères sur le parking où les camions se garaient sur trois files, les filles qui vadrouillaient là-dedans, la station-service en face et le passage piéton souterrain qui y accédait. S'y arrêtaient ceux-là qui vivent sur ces longs fils tendus d'un pays l'autre au travers. S'ajoutant à cette autre faune, partout stagnante, qui compte les flics et les veilleurs de nuit, ceux qui embauchent tôt dans les scieries ou pour allumer les fours d'une boulangerie, ceux qui reviennent à trois de leur service de nuit à hôpital et se dispersent ici où ils ont laissé leurs voitures pour économiser l'essence ou seulement dans ce besoin qu'ont les êtres humains d'être ensemble. Moi j'étais seul.

La nuit était froide. J'ai touché le moteur de la bécane, il brûlait. J'ai compté l'argent que j'avais, deux cents francs, dont encore cent cinquante pour l'essence, c'était bien de trop. J'ai demandé à manger des frites, puis un œuf dur parce qu'il y en avait là, puis un café, puis un cognac. Et puis si je n'arrivais pas là-bas, tant mieux, c'était tout éviter, mais que ce ne soit pas ma volonté, s'en remettre seulement à ce jeu occulte de pouvoirs qui nous dépassent, ce qui manie les grandes forces souterraines sous le jeu compliqué de l'homme en son destin et tant pis pour la poussière aux rouages, la casse et l'usure des pièces mineures, le carburant qu'une ville brûle et s'exprime en quantité de visages et de vies ternes. Elle était partie. Ce que je me refusais à faire, elle l'avait pour elle décidé et c'était encore aggraver la colère et la vengeance. Moi je le brassais dans ma tête des heures entières, chaque journée, et m'en faisais le canevas : elle revenant, se disant : « Tiens, il est sorti. » Ajoutant dans sa tête : « Dans quel état il va rentrer. » Ou bien : « Avec qui, encore ? » Puis découvrant qu'un sac manquait, mon sac de sport noir que j'avais déjà, il y a si loin, la première fois que j'ai débarqué dans cette ville du Mans où jamais je n'aurais sinon mis les pieds. Et manquaient aussi mes trois pantalons et quatre chemises. Qu'est-ce que j'aurais pu prendre d'autre ? Le reste était pour elle. Et l'ivresse est d'abord celle-ci, ne pas se sentir lié et ne pas posséder, pouvoir partir. Et je ne l'avais pas fait parce que je n'avais personne à qui m'en vanter. Sinon arriver devant elle, disant : « Tu vois, ça y est, je suis parti, la fille je l'ai quittée. » Lui dire à elle. Qu'est-ce qu'elle avait fait d'autre, elle, en partant de Marseille (j'en étais sûr, j'en avais tout de suite été sûr) pour aller s'épancher dans le vaste cœur de sa copine ? Et moi aussi j'avais à dire à Sylvie quelque chose qui regardait sa copine. Moi aussi j'avais quelque chose d'important à lui laisser, qui comptait mieux que les pantalons et les chaussettes : si c'est sa copine qu'elle était partie rejoindre, j'avais mon paquet à déballer, qui regardait la copine. Et je mangeais au routier de Romorantin, ma Mobylette devant la porte, à mi-chemin de Marseille et du Mans quand tout encore était possible, ou là simplement bifurquer sur l'Allemagne et tout rayer d'un trait. Et si je marmonnais tout seul, et si après le bruit hurlant du moteur qui me remplissait la tête j'avais besoin de bouger les lèvres pour retrouver la sensation qu'on a normalement de son corps, après des heures de machine vibrante et hurlante ? Les deux types étaient Allemands du Nord, de Hamburg ou Bremen. Entre ceux de Westphalie et ceux-là on se reconnaît à la figure avant même de s'entendre parler, et les problèmes ne datent pas d'aujourd'hui. Mais ça n'avait pas dû aller jusqu'à leur cerveau épais de camionneurs, exportateurs de cochons pour la bonne santé des échanges internationaux à la santé de la prospère Allemagne : il y avait un petit maigre et un grand gros et ils étaient en plein bonheur de mâcher leur argot natif si loin de leur terre à bière. C'est le petit qui a lâché à l'autre notre « Kuck mal » suivi de quelque chose qui serait dans votre langue « C'te fêlé avec un coup dans le nez, vise » et ce n'était pas poli. L'autre a répondu sur mes qualités mentales, ça donnerait « Fils de pute, dégénéré de bordel » en plus concentré (c'est toujours ces mots-là les premiers qu'on apprend d'une langue). Qu'est-ce que je pouvais faire que répondre dans leur langue, la mienne ? Et que je n'étais pas bûcheron de Romorantin ou veilleur hospitalier, mais sur la route comme eux et capable de les entendre : « Putain d'enculé, je te pisse à la raie. » Et qu'est-ce que pouvait faire le petit, puisque appuyé par son copain, que de m'envoyer son poing dans la figure et moi de répondre en cassant mon verre de cognac et lui riper le pied vers la joue et l'œil ? Dans le restaurant tout s'était immobilisé sauf cette musique idiote qui rabâchait une scie à la mode avec entre deux chansons la voix consolante des animateurs de radios de nuit. Les deux types m'ont fait signe qu'ils m'attendaient dehors. J'ai payé, tranquillement, et montré le type qui sortait : « Du sang de boche, j'ai dit, vous inquiétez pas, ça se passera en famille. » Le patron ne m'a pas répondu, et pris mon fric comme s'il était sale : « Cinq francs pour le verre », j'ai dit en les rajoutant. Je suis sorti, je n'avais pas à me presser. J'avais bien prévu : ils m'attendaient devant les camions, entre leur parking à eux et celui des voitures où ils croyaient que je me dirigerais. Trois autres regardaient, plus un dans sa cabine, et une fille. J'ai marché comme de venir vers eux. J'avais mon vieux cuir, et ce tournevis déjà était dans ma poche. Je n'avais pas de raison de m'affoler. C'était à Romorantin vers trois heures du matin, et comment ces idiots de Hamburg auraient pu imaginer qu'un de leurs compatriotes soit là en Mobylette ? Je n'avais même pas mis d'antivol. J'ai grimpé et pédalé pour bifurquer dans le souterrain vers la station-service, relâché dans la descente la poignée d'embrayage (accélérateur tenu de l'autre main à fond pour le démarrage à chaud), la bécane est partie en ronflant. De l'autre côté ils pouvaient me voir encore, j'ai filé vers le fond de la piste puis pris la route à contresens, laissé passer dix minutes avant de repartir phare éteint. L'autre devait être chez le médecin de service à Romorantin pour se faire mettre des points. Cette haine en moi qui levait est-ce que c'était de n'avoir pas accepté de se battre (j'y aurais gagné quoi ?), d'avoir été insulté dans ma langue même si j'y avais répondu, ou seulement d'avoir été interrompu dans ce rêve à voix haute d'un compte à régler entre elle, Sylvie, et sa copine. Ce que moi j'avais à dire de cette fille, Cathou. J'avais devant les yeux ce type à moustache, le patron du bistrot, qui avait encaissé mes soixante-dix francs en pensant clairement : « Et maintenant va te faire baiser la gueule, connard. » Haine de ne lui pas avoir cloué le bec, quand il aurait peut-être suffi de cette ironie qui m'avait tant et si bien servi avec elle, Sylvie. « Alles Gute, mein Herr, viel Spass... », j'aurais pris les deux chauffeurs à la rigolade, c'est eux qui auraient été les plus embêtés, se seraient excusés peut-être, voire auraient pris à leur charge mon verre en causant un petit coup sur le compte des autres, les Français, cette fois. Et le coup de verre tranchant s'enfonçant dans la joue du petit, juste sous l'œil, j'en avais encore la sensation dans la main, des heures plus tard, malgré les vibrations et le moteur, en entrant au grand jour sur la rocade du Mans.

Acteur principal (« l'homme »). Le type, le vrai Arne Frank, avait écopé du maximum : peine de sûreté de dix-huit ans et pas de circonstances atténuantes. J'ai pu visiter la prison du Mans, entrer sous cette verrière qui en fait un aquarium d'air jaune parce que ses plaques translucides sont peintes et marcher sur les galeries grillagées (à cause de ceux qui s'en étaient jetés) où se superposent trois étages de portes à guichet carré et verrou au moins centenaire dans une odeur surie. Les types en survêtement, dans la cour, jouaient à la pétanque ou fumaient, cherchant l'ombre. Trente mois, prison du Mans, voilà la durée qui équivaut à une nuit de dérèglement, en attendant le procès qui vous enverra dans l'autre durée, celle des centrales en rase campagne (Châteauroux, pour ce qui était de notre bonhomme). Mais il n'y avait pas à se dire : l'homme que j'incarne dispose-t-il en lui de la complexité qu'on lui invente, était-il autre chose que la seule détermination blanche quand se saisissent d'un homme jalousie et haine

91

à vif ? Il n'y avait pas à se dire : n'inventons-nous pas, nous qui ne poussons pas jusqu'à ces violences armées nos passions envers nos proches, quand bien même nous avons passé et passons par la plus haute jalousie et la plus basse haine, ce qui passe par une tête lors d'une nuit où l'homme ne se contient plus et dérive dans les plus excessifs dérèglements à force de voisiner trop près avec d'autres hommes sur les surfaces réduites de la terre dont ils ont fait leur habitat grégaire : les villes, et cordons de rues, routes et places qui les lient. Il y avait à se dire : voilà la jalousie, voilà la haine, elles sont communes et nous les jouons ici parce que le lieu aussi en est commun et ordinaire, et on les joue ainsi parce que voilà leur façon d'être quand elles débordent la vie invisible et fluide du groupe pour en déclencher les mécanismes de régulation d'ordre, et séparer du circuit commun celui qui s'y est abandonné. Le problème était de jouer près, dans des gros plans tranchés de visages denses et très proches. Alors j'ai réellement pris un masque, un lourd masque de terre à l'expression figée de ce qui m'était assigné d'une haine racornie et aveugle, mais que les mots débordaient en saisissant un rituel qui est celui de toute cette frange des villes, dans les rues droites de leurs bords et les cases de ciment qu'on y dresse, au pays des hommes interchangeables. Alors dans le masque je venais tout près d'eux comme le visage nu ne me l'aurait pas permis. Ils étaient des corps ordinaires, et le masque me permettait d'être ce qui n'est pas de notre monde et se saisit pourtant parfois des hommes. Je n'étais plus, dans mon rôle même, celui qui exerce sur les autres haine, jalousie et violence dans une impasse promise, mais bien l'acteur, celui qui joue de tout ça le rôle.

Déposition 7 (faux départ)

Le gardien. Gardien de supermarché et on venait d'être racheté, on s'attendait à voir descendre les nouvelles têtes et de nouveaux embauchés, on était content de n'avoir pas été de la charrette de ceux qui s'en vont quand change l'enseigne, quand bien même on est triste aussi de savoir que si on reste c'est d'être assez terne pour se confondre vaguement avec le peu qu'il y a ici de permanent, les murs, l'alignement morne des caisses à tout racler. Une galerie de carrelage jaune, des barrières tubulaires et des portillons magnétiques, et les allées où les néons pendent directement du plafond même pas climatisé (on appelle ça plafond technique à cause des fils). Spécialité nouvelle de la « surface », vendre sans afféterie, au prix de gros, directement sur les palettes. C'est elle la fille que j'ai connue d'abord. Tout de suite elle m'a appelé André. Vendu avec les murs, c'est aussi la petite phrase sans doute : « Demandez à André ». Celui qui ici dispose de la part de savoir que n'auront pas les machines ni les graphiques, c'est-à-dire où trouver les compteurs électriques et le placard aux serpillières : « Demandez à André ». Pour l'accès aux égouts ou bien décoincer le mécanisme d'avance-tapis de votre caisse : on sait où me trouver. La jeune fille était gentille, et ce qu'elle me demandait c'était comment s'y prendre pour trouver à se loger. Marseille c'est un univers et c'est ce que je lui ai répondu : « Marseille on change d'univers. »

L'homme. Les lumières sont vertes quand on se souvient. Chutes-Lavie pour un Allemand c'est pointu à prononcer. La ville me plaisait d'être au bout du monde et continuer ses rues comme à les lancer sur la mer, une ville d'odeur forte et de quartiers jaunes sur un sol désertique, où il semblait que jamais plus on ne vous demanderait de comptes, que commencer était toujours et à nouveau possible. Sylvie travaillait à ce supermarché, on avait de quoi manger. On a trouvé l'appartement, et si c'était un petit peu trop beau et trop cher, sous prétexte qu'on voyait la mer, cela aussi marquait qu'il s'agissait d'un départ, d'une route à l'assaut d'un peu plus de soleil intérieur. Tandis que Sylvie travaillait, j'ai repeint l'appartement, et avec des planches j'ai fait des meubles à notre idée, dessinés par nous deux ensemble le soir parce que tel était notre plaisir, et peint tout cela de couleur vive. Puis moi aussi j'ai trouvé du travail et dans le recommencement des jours la route était facile : il n'y avait plus à penser qu'à continuer, et le dimanche on s'en allait sur la côte des images de magazine dans l'impression que nous aussi en étions les maîtres. On a acheté une télévision, et un crédit sur le salon qui a remplacé les planches peintes, que j'ai descendues dans la cave du Ségur. Nous habitions les bâtiments qui s'appelaient le Ségur. Nous disions : au Ségur. Et si vous passiez au Ségur. Quand on sera rentré au Ségur. J'aimais bien l'ambiance.

Le gardien. C'est un plateau de ciment, que les bâtiments entourent. Et la galerie fait tout le long de la surface, on y descend par des escaliers mécaniques. Si on vient en voiture on se gare en sous-sol c'est commode. L'espace de livraison est à l'arrière et donne directement sur l'esplanade de service, par où aussi s'entretiennent et se nettoient les immeubles, tout cela pensé et organisé. C'est ainsi que j'ai connu celui qu'on appelait Frank, et nombreux nous étions à penser que c'était son prénom, et qu'allemand de naissance il devait être doté d'un nom imprononçable qu'il n'était pas utile de connaître.

La femme. On a choisi Marseille parce que j'avais écrit à mon ancien directeur de magasin, qu'il m'a envoyé les annonces de recrutement interne et m'a fourni ensuite une lettre d'appui. A Marseille, enfin Chutes-Lavie tout à son nord, entre la ville et l'étang, là où sont les immeubles et les usines, ils voulaient bien me prendre. On est partis avec les mêmes valises, la même charge si étroite à transborder de gare en gare. Et nous arrivions dans une vie que je croyais cette fois le vrai départ : la ville n'était pas une ville jouet, et la famille n'était une ombre ni pour lui ni pour moi. Je tenais en main les rênes puisque j'avais le travail, et que l'appartement était à mon nom. Quand lui-même a été pris à la manutention, on a eu deux salaires qui rentraient pour oublier les soucis et fixer le temps : l'impression brève de souffler. Bien avant que le premier argent tombe, on avait été centre-ville dans ce qui nous semblait le meilleur restaurant, dans le bus en rentrant j'ai bien deviné qu'il ne tenait plus trop sur ses jambes et parlait trop fort mais quelle importance.

La mère. Quand ils ont été un peu installés, je suis allée les voir. Ma fille m'avait déjà habituée à ne pas poser trop de questions la concernant. Elle ne s'illusionnait pas sur ma capacité à apprécier comme elle les qualités de l'autre, celui qui vivait avec elle. Puisque paraît-il c'était si bien leur vie nouvelle. Et que lui aussi travaillait. Je n'ai pas emmené mon mari. Quelque chose nous concernait, Sylvie et moi, qui ne voulait pas de témoin. Et c'était manière de la prier aussi de ne pas m'imposer à moi celui qu'elle présentait comme le sien, de mari. J'ai changé de train à Paris. J'étais chargée. C'étaient des petites affaires à elle, qu'elle m'avait demandé de lui porter : on n'est même plus dépositaire de confiance. L'autre train, orange, est parti. J'étais assise serrée dans le siège et les villes se sont alignées. Je n'étais jamais allée à Marseille. Devant la gare il y a un escalier de pierre et de grandes marches qui s'enfoncent dans des rues sombres. Il faisait bien plus chaud qu'au Mans : « C'est normal », elle m'a répondu. Cette ville aussi avait une odeur plus forte que l'odeur de la ville du Mans. Ma fille voulait me montrer, et au bout de la rue qui descendait de la gare c'est vrai qu'on a vu de l'eau et des bateaux, le soleil se coucher rouge sur des espèces de châteaux qu'ils ont là, avec tous ces gens qui se promènent comme s'il n'y avait jamais rien de mieux à faire sur la terre. Après quoi on a pris le car, et les immeubles où on est arrivées étaient des immeubles comme les immeubles du Mans ou de partout ailleurs, ce qui ramène le tralala à sa juste mesure. Il était là, c'est lui qui avait préparé à manger et il en était fier. Des choses de chez lui, *Maultaschen*, je me souviens du nom, je lui ai dit : « Ça ressemble à ce qu'on mange en Alsace » (mon voyage de noces), des sortes de gros raviolis avec de l'épinard dedans et de la crème. On a parlé du Mans, ce que devenaient ceux que Sylvie avait connus et dont elle se préoccupait soudain le temps du dîner. On a regardé leur télévision neuve, et j'étais fatiguée. J'ai dormi dans le salon, j'étrennais le canapé m'ont-ils dit. J'ai fait le compte de trois mois de travail à Marseille pour voir ce que ça donnait en crédit tout ça. C'était leur affaire.

La femme. La chambre à coucher j'avais trouvé par un camionneur du magasin comment la faire transporter sans trop payer (mais en liquide). C'était avant que je le rencontre, avec ma première année de travail et pour rompre avec les meubles de petite fille : elle était entière et assortie, ma possession. On a donc eu peu à acheter, un canapé-lit pour la grande pièce et une table avec quatre chaises, pour le reste on s'était dit ce serait au fur et à mesure, on avait un téléviseur. Un minimum mais ça avait si peu d'importance, le soir quand on fermait la porte on était inaccessibles et le monde aurait pu s'effondrer ou un tremblement de terre emporter la ville que les murs se seraient envolés avec nous pour nous protéger. Lui d'Allemagne il avait rapporté sa collection de petites voitures anciennes et ça paraît ridicule de noter qu'il avait mis ça sous une vitrine qu'il avait lui-même bricolée. Pour l'anniversaire de notre rencontre à Uzès trois bouquets de fleurs de trois fleuristes différents plus un appareil à musique et des disques, alors les quelques mois que ça a duré j'ai oublié tout le reste. J'écrivais à ma mère, à Cathou quelquefois mais rarement puisque tout allait bien, que c'était le bon choix et que quand même le climat était une bonne récompense. C'est plus tard qu'on se dit avoir dû payer simplement parce que, alors qu'il en était temps, on voyait trop petit.

Directeur de la photographie. Ici c'est la gare de Marseille : par jeu, et pour comprendre, j'y suis resté vingt-quatre heures entières, sans dormir, mangeant sur place, et j'ai fait ces images. On a choisi d'aller à Marseille non pas avec eux, les acteurs, mais en équipe réduite, juste une caméra tenue à l'épaule (et ce qu'on peut obtenir d'une variation du grain). Et se promener comme ça dans la ville, en sachant que c'est à elle seule qu'on devait avoir affaire, la ville, comme eux-mêmes, ceux de l'histoire, avaient eu affaire à elle et que c'est elle qui avait gagné. On avait quelques éléments de l'histoire, qu'on a voulu se jouer nous-mêmes. Le bâtiment, et la merveille qu'il représenterait pour eux en y accédant. Et la dalle sous les immeubles (tout ce qui est de la zone commerciale, de l'hypermarché et de la galerie, on l'a tourné à Bondy en Seine-Saint-Denis), ces terrasses de béton devant la mer et ces alignements dressés où on parque les gens, et les variations du ciel sur le ciment et l'air hagard de ceux qui descendent cet escalier entre les trains et la ville. Ici on est près de l'étang de Berre, là où au nord s'arrête la ville en continuant pourtant ses vagues de bâtiments identiques, et où commence la longue zone des entrepôts. On avait ça à prendre : deux ans après leur arrivée (mais le même instant fixe de tournage pour nous, comme sur ces tableaux des vieux peintres tout un déroulement d'histoire), elle la fille partant avec juste son sac gris, lui la poursuivant avec sa Mobylette, la cherchant dans la gare, faisant l'embarquement des trains, refaisant sa tournée dans leurs endroits de la ville, et ces grands bars aux carrefours du tourisme, puis revenant vers les bords, la porte où la ville se sépare et greffe sur elle les grandes routes par de gigantesques ronds-points, une fureur le gagnant, et ce que ça imposait de lumières sur les murs, et d'ordonnancement des façades en arrière des visages, de hauteur de prise de vue et largeur de champ dans la grande réalité du monde. Enfin lui, le type, revenant dans l'immeuble et ce que cela aussi impliquait pour la photographie qu'on comprenne sans phrase, puisque la seule fonction des phrases aurait été alors de signifier ou d'informer. Pigeant que la fille avait pu faire de l'auto-stop, elle en camion maintenant, parce qu'une fille seule et pas mal faite, porte d'Aix, avec son air perdu et juste son sac gris, n'avait pas longtemps à attendre qu'un chauffeur s'arrête. Coinçant son sac sur ses genoux, se restreignant pour répondre et parler. Arrivant à Paris dix heures plus tard, quelque part devant un entrepôt frigorifique en banlieue

101

et se faisant expliquer les cars ou la station de métro, enfin sortant gare Montparnasse et prenant son billet pour Le Mans, sa ville, alors que lui-même était encore à Marseille. Après une nuit sans dormir le jour paraît encore plus blanc et dur sur les vitres des immeubles. Nous avons filmé cette aube comme si nous-mêmes aimions boire à la bouteille et respirer par la fureur, d'abattement mêlée, nous-mêmes dans cette impulsion de monter sur la Mobylette et prendre la direction du Mans à l'autre bout de la France, parce qu'au moins c'était faire quelque chose et que la solitude dans l'appartement avec encore ses vêtements jetés, la lumière habituelle et le lit vide, n'était pas tenable. Arrivés à Romorantin, nous avions décidé d'y passer la nuit, matériel en ordre, comme s'il allait nous y rejoindre dans un écart de temps où nous-mêmes nous laissions prendre : il allait entrer, il viendrait sans doute cette nuit-là. Les chauffeurs routiers dont c'était le territoire nous apostrophaient. Ils ont leurs habitudes, et des trafics qui n'aiment pas les témoins. « C'est pour la télé ? », ils demandaient. On savait qu'il y avait eu cette histoire, au zinc puis sur le parking. C'est une plaque d'échange pour ce qui ne regarde pas les douanes ni l'ordre, il y avait ce soir-là comme tous les soirs des files de quatre-vingts camions et la vie nocturne qui semble avoir déserté le reste du pays. Celui-ci c'était Polo, un gars de Niort avec un camion frigo, qui rentrait chez lui pour vingt-quatre heures (« faire la fête ») tous les cinq jours environ, et après Niort-Strasbourg avait frété pour Biarritz vingt tonnes de panaché en boîte plus cinq tonnes de pièces de fonderie. Il nous parlait de sa petite nièce aussi, une gamine de trois ans, son frère marié avec une copine à lui.

Déposition 8 (violences)

Mécanicien. J'étais toujours aveugle. Cela me tirait sur la figure et rien moyen d'y changer. Quand j'avais essayé de me défaire, j'avais pris un coup. « Salaud, j'avais dit, salaud, ta mandale tu la payeras. » Et violence pire a été qu'alors il m'a mis sa main à plat sur la joue et la bouche et m'a caressé en disant : « Ruhe. Ruhe mein Lieb, warte mal », ou autres variations dans ses mots dont il devait se douter que je ne les comprenais pas. Et cela aussi, la main répugnante sur ma joue, j'ai décidé que la facture lui en serait adressée. Je tenais dans ma main, j'en rêvais, une bielle ou autre pièce de forge que professionnellement on

103

manie, pour lui en assener un coup qui fracasse-
rait notre haine avec sa tête, et je me souviens
d'avoir aussitôt pensé : alors je serai pareil à lui,
avec sa haine aussi et son tournevis, il aura réussi
à nous égaler, lui en voulant encore plus, tandis
que j'étais forcé de rester ainsi, les yeux bandés
et les pieds tenus au radiateur.

Inspecteur. Etabli et prouvé que vers 2 h 50 du matin,
malgré Frank, ses menaces et son arme, Charles
Catherine essayait d'ouvrir la porte principale et
d'en débloquer les verrous. Que Frank perdant
un instant contrôle de ceux qu'il détenait en
otages, Maillard Sylvie brisait la vitre d'une des
deux fenêtres de l'avenue René-Gasnier et criait
au secours, sans résultat. Que Frank parvenait
alors à renverser Charles Catherine en la tirant
par les cheveux, courbée, et l'éloigner de la fenêtre dont de toute façon, avant leur arrivée, il avait
ficelé les volets (aggravant la charge de préméditation). Etabli et prouvé que Frank considéra
comme insulte à lui faite qu'on ait tenté de lui
échapper et s'en vengea par coups de pied dont
les ecchymoses furent constatées. Cela durant
sans doute un temps évalué à deux minutes trente
en tout, même si ceux qui y furent immergés
accordent à ces deux minutes le même poids et

autant de tension que les trois heures qui ont suivi.

Mécanicien. Les pieds attachés, la bouche prise. Mais en frottant ma tête sur le radiateur j'avais pu soulever à demi le bandeau : je voyais, et lui ne le savait pas. Les deux filles par terre, brutalement, par les cheveux. Et j'aurais voulu hurler. Le truc dans ma bouche s'est défait, et je lui ai craché, littéralement craché à la figure ce que je pensais de lui, et quand il me frappa tout était dans l'ordre. Et que tu cognes, enfant de salaud, je pensais (et tranquillement, dans le seul sentiment d'une tranquillité immense), pendant ce temps il laissait les filles et à chaque fois qu'il cognait c'est qu'un des mots que je disais lui avait fait mal. Et plus fort je recevais ses coups sur les joues, le nez et l'œil, tandis que mon oreille saignait, plus forts étaient les mots que maintenant c'était à mon tour de lui imposer, tandis qu'il me croyait aveugle, et frappait encore et encore un homme qu'il ne savait pas le voir. Puis tout ça s'est arrêté. « Arrête, Arne. Arrête, ça ne sert plus à rien. » C'est Sylvie qui avait dit ça, très bas, et pourquoi c'est à ça qu'il a obéi ? Il les fit s'asseoir finalement dans l'angle opposé de la pièce, par terre, côte à côte, leur intimant de ne pas bouger.

Il y eut un silence. Le sang sur moi s'est arrêté de couler. Un grand bourdonnement vibrant me traversait le crâne, qui ne cessait pas, et j'avais mal. Par la vitre brisée de l'air frais entra qu'on sentit sur les visages. La rue, infiniment silencieuse, drame pire que tout le reste : l'isolement d'un sous-marin. L'Allemand avait jeté son tournevis, tenait de la main droite sa bouteille demi-pleine. Il revint au canapé, où était celui que nous pensions (mais pensions par seul désespoir de n'avoir pu agir) dans une provisoire inconscience, et s'adressa au mort, disant : « Pousse-toi, tu prends trop de place. » Et c'est de sa jambe et de sa chaussure qu'il le fit glisser, que le corps tomba du canapé et resta par terre. Nous trois on avait compris. Un homme qui dort ne serait pas tombé aussi raide. Cathou : « Il est en train de mourir... », et Frank n'avait pas répondu. « Tu n'as pas le droit, aide-le... » Et lui, levant non plus son tournevis mais cette bouteille tenue comme une arme, dit : « Je n'ai pas fini, mes petits, vous non plus vous n'avez pas fini. »

La femme. J'ai encore essayé, et tandis qu'il me forçait brutalement de rester à terre, agenouillée, puis contre le mur, près de Catherine, je lui tenais encore le bras : « Tu fais n'importe quoi, tu n'as aucune chance. » Et tout ce qu'il a répondu en me repoussant en arrière (ma tête a cogné dans un angle et j'ai eu mal) fut : « Kein Glück, pas chance, jamais de chance, aucune chance », comme si nous avions parlé à un mur, à une pierre, à n'importe quoi dépourvu de pensée et de regard, et il avait cette bouteille de cognac prise à Catherine et dont il buvait au goulot, il tomberait c'était sûr mais ce serait trop tard. Il y avait ce type devant nous par terre et qui ne respirait plus, on espérait quand même, on pensait coma ou n'importe quoi, on se doutait bien pourtant, la mort on ne la regarde jamais en face.

Trois femmes. Et redoublement d'insulte nous fut d'apprendre que le nom de leur victime ils ne le connaissaient même pas. Son prénom ils ne le lui avaient même pas demandé, un vague surnom de passage fut le masque sur lui qui décida de l'immolation. Redoublement d'insulte nous fut l'indifférence, la leur, parce que lui, qui était notre frère, neveu, fiancé, se trouva devant la lame de l'homme ou sauvage, ou malade, l'étranger venu pour sa tâche mauvaise. Redoublement d'insulte nous fut que les journaux, les gens, et le procès même s'occupent du malade, du sauvage, de l'étranger, sans s'intéresser à celui qui fut pris dans le tourbillon sordide et n'était rien à celui-là, que sa victime. L'assassin fut leur héros, et la passion qui l'avait lié à cette femme indifférente, et nous sommes, nous, venues pour les adjoindre, les deux femmes et l'homme qui attendirent la nuit et qu'il soit trop tard, à l'homme malade ou sauvage, l'étranger. Quoi, on peut crier, hurler, se jeter dans les vitres, renverser une table sur un homme, quand la vie d'un autre homme est en jeu, un homme qui n'est pour rien dans leur jalousie morbide et leur passion déréglée. Eux n'ont rien fait : nous sommes venues pour le crier et le hurler à leur place.

La fiancée. A Pornic le cimetière est très beau. J'ai fait le voyage. Il s'en va en montant doucement vers la mer qu'on aperçoit au loin, et la frange haute est faite de croix d'enfants vieillies, qui n'ont même pas de nom : il y eut autrefois de ces établissements de soin contre les maladies pulmonaires tenus par des religieuses qui elles aussi ont leur carré devant les vagues. Et ces enfants venaient souvent de ce qu'on appelait l'Assistance, on ne se préoccupait pas de les rapatrier, et leur nom de famille était (comme Frédéric) souvent un prénom, c'est cela qu'il y avait de vaguement gravé, avec un peu de rouille au bord des lettres, sur les ovales d'émail blanc où les deux branches de bois se croisent. On a enterré Jean, sa sœur, sa mère, ses tantes, moi et ma mère : nous étions plus de femmes que d'hommes et dans les enterrements c'est souvent. Ma mère m'avait dit : « Tu n'avais pas d'engagement, c'est une rencontre de vacances (il y a aux portes de Pornic avant le cimetière cet ancien établissement de construction navale transformé en piste de danse) et si ce garçon avait eu des intentions sérieuses il ne se serait pas aussitôt fourré avec deux autres pour une conversation de bistrot. » Comme si tous les hommes n'étaient pas aussi fragiles ou faibles et qu'à cet âge ils ne tournoyaient pas en bêtes folles qu'on attrape et qu'on met sur la voie droite où il faut les tenir et que ne furent pas ainsi nos pères et nos frères. Il avait quand même fait, à ma lettre, le voyage du Mans et tant pis pour moi si je ne m'y trouvais pas.

Un militaire. Et convoqué le lendemain au titre des témoins dans leur commissariat (les mêmes qui n'avaient pas pris au sérieux mon appel), je découvrais que ce nom au couteau dans le bois, sur les graffiti de la caserne derrière les portes des « lieux » : Cathou, était celui de cette fille qui travaillait à servir les boissons au café-bar de la place de l'Europe, au bout de l'avenue, au carrefour en étoile. Que l'autre fille était cette Sylvie que nous avions découverte, accompagnant ou attendant la première, et que nous tous avions forcément remarquée, d'instinct, pour une série de traits qui ne trompent pas : si elle attendait ici, c'est qu'elle n'était pas de passage pour un verre, mais allait prendre place longue dans la gravitation que chaque café-bar organise parmi ceux qui le fréquentent avec régularité. Et qu'elle était plus pâle que normalement un homme ou une femme est pâle. Elle était blême, ce qui veut dire ne pas assez dormir, ne pas être assez en paix avec soi-même, être donc forcément en attente d'une gravitation nouvelle parmi ceux dont on organise la place autour de soi. Et cette fille était habillée de façon à le dire, elle avait des bagues, et aux yeux du bleu, et un pantalon de cuir comme les portent ceux qui n'ont pas habitude de tout cet appareil (qu'elle avait donc emprunté à son amie, celle du café-bar, Catherine). Et la fille habillée de cuir, avec ses bagues et son bleu aux yeux, n'écoutait même pas le peu de paroles du garçon, son indifférence même l'incitant à ne plus la lâcher d'une semelle. Les hommes sont des mouches à ces lanternes, et j'avais considéré le jeu de celui qui avait l'avantage sur nous de ne pas porter l'uniforme.

La femme. La force d'animal qui survit dans nos muscles et nos nerfs et ne se maîtrise pas, la force des épileptiques et des crises nocturnes quand on voudrait se jeter la tête sur les murs : je m'étais une fois de plus prise à son bras, tâchant de pousser mon corps contre son corps pour limiter la puissance d'un coup, et mis mon bras sur le sien pour repousser l'usage éventuel de son arme. Et ses muscles étaient crispés et noués par cette force qu'on maîtrise si mal mais étonne de rudesse, permettrait de repousser d'un doigt des meubles ou s'envoler d'un toit. Lui me repoussant, de la main gauche me tordant brutalement le poignet me forçait à plier, agenouillée j'ai continué et lui ai serré les jambes, j'ai pris son genou dans la joue sous l'œil j'ai senti mon visage craquer tandis qu'il continuait ses paroles de mépris, de haine et de coucherie veule, et que par celui à qui nous n'avions même pas demandé son nom, qui gisait sans désormais de plainte ni gémissement sur le plancher, l'erreur était faite qui séparait à jamais Arne du monde des autres, sur fond hurlant de cette télévision (elle ne présentait plus à cette heure que des films qui res-

111

semblaient au langage de Frank et ce qu'il projetait sur Cathou et moi), comme si le plus petit arrêt des mots qu'il vomissait aurait aussi stoppé ce monde qu'il rêvait tout entier ordonné par sa loi, et tout d'un coup plus rien à dire.

L'amie. Tellement curieux le moment qui a suivi, un silence où on entendait sa respiration à lui, Frank, avec du rauque dans les poumons (d'ailleurs il s'était encore allumé une cigarette, et ses yeux par l'alcool et la fatigue étaient injectés de rouge, il sentait la sueur). Il y avait ce courant d'air qui venait de la vitre brisée, et la ville absente désespérément. A chaque voiture qui passait on se reprenait à rêver : et si celle-là s'arrêtait, qu'on aurait entendu claquer une portière, et des voix, et qu'on aurait crié, tous ensemble, au secours, et tant pis pour Frank et ce qu'il détenait encore de mal à faire (on apprend en une nuit qu'on peut dominer de l'intérieur une douleur et qu'on se moque bien, parfois, d'y ajouter par un coup de plus). Mais rien. C'est à ce moment-là que j'ai compris, à ce silence où l'angoisse même de ce qui pouvait encore venir renforçait dans notre ventre et jusque dans la boule à la base du cou le bruit régulier du cœur, que le blessé par terre ne respirait pas. Et c'était un gigantesque sentiment d'indifférence. Et si aujourd'hui j'ai en moi encore haine de Frank et ce qu'il nous fit subir, ce n'est pas pour la part personnelle du gâchis, ce qu'il y avait alors entre Joël et moi et qui ne s'est pas réparé, ce qu'il y avait entre Sylvie et moi qui ne s'est pas réparé, ni même pour ce jeune type venu sans comprendre au-devant de son destin, mais bien pour ce seul moment : que dans ce silence de la nuit il n'y avait plus d'urgence. Et que ce que Frank avait fait serait payé au prix fort, bien au-delà ce qu'on en avait subi nous. J'étais presque soulagée et c'est cela, cette indifférence à la mort devant vous, que je veux faire payer à Frank pour ce qui me concerne, la dette principale et la haine qui ne s'éteindra pas : il nous avait déplacés dans son monde, et ce monde est abject. Et dans ce silence, et ce courant d'air plus frais qui venait, et l'attente, de savoir aussi que ce n'était pas de notre faute, qu'on avait essayé et pas pu, qu'il m'avait traînée par les cheveux et que j'en avais d'arrachés, j'ai remarqué soudain que Joël avait à moitié repoussé son bandeau, qu'il voyait d'un œil et me faisait signe, et que l'autre, Frank, ne s'en était pas aperçu. Qu'alors, comme dans les romans, tout devenait possible, le tromper, inventer. Et d'apercevoir le clin d'œil de Joël, toute seule, j'ai été prise d'un fou rire à ne plus s'arrêter, que j'ai

113

tout fait pour contenir mais je n'arrivais pas. Et Sylvie qui s'en aperçut en était prise à son tour, dans cette profondeur aussi du rire tout se rejoignait, et la haine et le sentiment total du gâchis inutile.

Les deux femmes (« la femme », « l'amie »). Avant de travailler ensemble sur ce film on ne se connaissait pas. – La première fois qu'on s'est vues, c'était quand on s'est retrouvées une première fois, toute l'équipe, pour s'asseoir et lire le texte à voix haute, la version intégrale. On était vite d'accord sur le traitement, que nos deux rôles étaient symétriques dans ce triangle où l'homme venait en avant parce que c'est lui qui était frappé de folie violente. – Qu'une relation précise, identifiable, joigne chacun des personnages à chaque autre, par un fil séparé, repérable. De même que la symétrie des deux hommes, et de même que la symétrie de leurs relations à tous deux avec chacune d'entre nous. Ce mort entre nous tous comme une leçon. – Ce qui me gênait au départ c'est l'absence de rire, dans la vie je suis plutôt joyeuse. Je ne trouvais pas de place là-dedans pour rire, alors que rire est un besoin. Même dans cette nuit entre les cinq, même avec le mort au milieu et tout ce sordide, il avait forcément dû y avoir un moment de décompression, comme on en a nous au théâtre, où tout se renverse et où on se met à rire. Ou du grotesque là-dedans. – La scène du fou rire, c'est pour ça. C'est nous qui l'avons demandée et construite, il nous semblait que ça collait avec l'histoire d'origine, telle qu'on nous l'a donnée à lire dans les articles des journaux locaux, pas grand-chose en fait. On aurait aimé voir les deux femmes à qui tout ça était vraiment arrivé, des recherches auraient sans doute été possible, ces villes de province sont comme des bocaux réduits, où on change d'endroit mais sans s'écarter vraiment. Et il y a la famille, la piste du nom, un pianotage : on aurait vite accroché la piste. On n'a pas voulu. Que ce soit notre chose, qu'on y lise ce qui valait pour nous dans nos histoires propres, et non pas ce qu'on supposait valoir pour elles. On faisait un roman. – Ces femmes c'était comme de vivre avec elles, jusqu'à la haine entre elles qui forcément avait suivi cette nuit et ce qui y avait été déballé. On tournait surtout la nuit, pour des questions d'éclairage, et parce que ça convenait mieux à ce temps ouvert qu'on cherchait. Le matin forcément on dormait, l'après-midi on se retrouvait toutes les deux, ou à trois avec un des autres, dans ce théâtre tout neuf, pas encore ouvert au public. C'est peut-être là qu'on a eu nos meilleurs moments. Une salle grise entièrement, avec les ampoules nues sur les parois de béton, les fauteuils tout neufs encore emballés de plastique transparent sur leur velours rouge, et au-dessus de nous tout le plafond technique, avec les échelles, les rampes de projecteurs et les pans du grand rideau, la grande scène ovale en pente et la résonance que les voix prenaient là-dedans. Ce gouffre devant nous ouvert. – On a surtout pensé que pour jouer de si près, dans la suite d'espaces clos qui était celle du film, il fallait aussi voir ce que ça donnait dans la rigueur de l'espace, sur le plancher d'une scène, à distance. – On se parlait l'une à l'autre nos textes à dix mètres, comme si l'autre toute seule devait entendre ce que nous avions à lui dire en secret. Quelquefois les autres nous rejoignaient, on travaillait là nos scènes, sur le plancher nu, devant le trou, on cherchait l'espace et la relation des corps. – On imaginait le décor, des images à grands pans, douze mètres de haut, avec leur brutalité de peinture. On y a projeté au fond, gigantesquement agrandies, des images faites dans la vraie ville autour de nous. – Les éclairages aussi, on appuyait sur les boutons, on se faisait des taches de lumière en poussant les lampes au maximum, et on venait jouer dessous, on en jouait comme d'une douche, entrant, sortant. – On s'est apprivoisé nos rôles comme ça, dans ce théâtre vide, en béton, tout neuf.

Déposition 9 (chiens malades)

Le gardien. Je leur avais offert un chien, un petit chien que j'avais trouvé. Parce que j'ouvre la galerie, le matin, et lève le rideau de fer devant les caisses. Il avait été mis là, dans un carton. Un chiot de quinze jours. J'aimais bien la jeune femme et savais que la vie ne tournait pas à sa mesure, ne ressemblait pas, peut-être, au rêve qu'elle avait eu en posant pied la première fois dans un monde qui aurait dû être le sien. Elle avait un sourire en me saluant le matin, mais un sourire qui devait pour sortir traverser sur la figure des écrans épais qui ne souriaient pas. Elle était loin au fond d'elle. Ensuite, avec les copines, la lueur jaune du travail et la musique d'ambiance, les gestes obligatoires à faire et les conversations comme obligées aussi, ça allait mieux. Mais je savais reconnaître la ride légère au sourcil, et ce chien dont je ne savais pas quoi faire je lui avais offert : « Un cadeau d'André. André, c'est moi, lui c'est le chien, et le

117

cadeau c'est pour vous », et elle avait souri pour de vrai.

L'homme. Et ça avait empiré quand un jour elle avait eu l'idée idiote de ramener au Ségur un chien, et que ce chien en plus, je l'ai vu tout de suite, était un chien malade. J'avais eu un accident aux reins. Parce qu'il n'est pas facile, même à un homme solide et normalement constitué, de porter huit heures durant des caisses lourdes et vider à force de bras des palettes chargées. On n'était que trois, au fond, pour toutes les manipulations. Ce sont des lieux où la viande humaine n'a pas figure. Si vous vous lassez vous partez, eux trouveront bien, dans le grand vivier, de quoi mettre deux mains à la place des vôtres, et provisoirement plus dociles. On avait nos compensations. Il y a un contrat négocié avec les assurances, et les assurances ne font jamais de cadeau, même lorsque c'était la même compagnie dite d'assurances qui possédait avec le nôtre vingt supermarchés pareils dans les bords de grandes villes, le contrat valait pour un léger pourcentage de casse, et ce pourcentage, sur la quantité qu'on brassait, était encore calculé trop large : alors on faisait tomber de temps en temps un carton d'apéritifs, une palette de perceuses électriques ou petit outillage.

Sur Marseille-nord il ne faut pas aller loin. Je ramenais à la maison une bouteille ou deux de Ricard, un carton de whisky, et tout cela servait aussi de monnaie d'échange. On avait acheté le téléviseur, le magnétoscope je l'ai échangé contre un lot de bordeaux rouge et qu'y a-t-il de mal là où tout le monde fait pareil et s'arrange. De nouvelles formes de circulation marchandes s'élaborent au sein du désastre général dont ce ne sont pas ceux-là les responsables. Et quand le soir en rentrant je proposais à Sylvie l'apéritif au compte de la maison, elle refusait, et répondait en me demandant combien j'en avais pris déjà au travail. Qu'est-ce que ça la regardait, et si c'était tout ce qui entre nous restait de convivialité (son mot à elle) et d'échange, et que les bouteilles en plus on ne les payait même pas. « Descends plutôt promener le chien. » Et là j'étais avec ce tour de reins, et trois semaines après licencié parce que je n'étais plus bon à rien porter de lourd et que tel est le sort de la viande humaine sans figure au fond des entrepôts de manutention, loin des lumières brillantes et de la musique d'ambiance. Je me retrouvais au Ségur, deuxième étage, enfermé dans la boîte avec cette télévision insipide et le chien à remuer la queue quand il me voyait passer près et une fois j'y ai même mis un coup de pied. J'allais quand même prendre l'apéro avec les anciens copains et je l'emmenais, le chien.

Psychiatre expert. Psychiatre assermenté, expert auprès du tribunal de la Sarthe et agissant dans le cadre d'expertise à la requête de l'instruction, vingt jours après les faits (notre cabinet était en vacances pour quinze jours comme chaque année à même époque et après un an de service en hôpital on peut légitimement profiter d'une villa de famille et de l'air de l'île de Ré, et c'était au premier jour de mon retour que je retrouvais l'odeur de désinfectant et les résonances de voix propres à ces espaces clos aux couloirs en hauteur et à prédominance d'éléments métalliques de la maison d'arrêt du Mans). Conformément aux dispositions légales, l'entretien dans une pièce vitrée où nous étions seuls, le détenu, l'interprète et moi-même. Et avons déposé dans les termes suivants : « Lucidité, calme, aucun élément délirant. Ce comportement meurtrier, agressif et sadique n'est sous-tendu par aucun trouble mental. Quelques tendances hystériques mises à part, cet homme est extrêmement dangereux. Pronostic de réinsertion médiocre... » Ce que j'exprimai oralement au juge chargé de l'instruction dans le dialogue suivant : « Confronté à une situation du même type, vivant à l'état passionnel, son hyperaffectivité rend cet homme dangereux. – Statistiquement, c'est une réponse que vous avez souvent formulée en cour d'assises ? a demandé le juge. – Rarement », avons-nous répondu. Et nous n'ajouterons pas que Frank Arne refusa la prise en charge d'une série supplémentaire de consultations, à quoi la loi ne le contraignait pas, que son silence ironique nous fut une injure, et sans lui tenir compte ni rigueur des insanités qu'il proféra en réponse aux questions de l'interprète agréé, que celui-ci n'osait nous retraduire, comme si ces mots-là ne s'entendaient pas quelle qu'en soit la langue d'origine.

L'homme. Ville somptueuse, au centre et dans les parcs, où dans le soir on met les projecteurs jaunes pour élever en relief les bâtiments de pierre. Et tout autour immense et calme, trop silencieuse et droite. Puis la ville en ses bords, et non pas le grouillement qu'on croit, mais ces durs palais rectangulaires hauts et nus à l'infini, les réserves de béton et la dureté de l'air comme une harpe de fer jouerait quelque part depuis l'intense rougeur du ciel. Rien qui autorise l'élargissement même contraint du cœur, qui permette l'enchantement que c'est de dépasser la vision immédiate et les rêves pourtant d'océans qui s'ouvrent (puisque à Marseille de la cuisine on voyait la mer). On reste dans ces grandes formes tranchées en plans soudainement abrupts, que les collines desséchées et pierreuses agrandissent encore, dans la totale couleur jaune qui est la marque de cette ville, aux lumières toujours fades du jour en son milieu. Et il faudrait avoir la force, parmi mille êtres pareils et pareillement livrés à eux-mêmes par l'interdit du travail jusque-là ordinaire aux hommes pour la régulation de leur espèce, l'aspiration où on est de se fondre à un groupe qui vous connaisse et en appelle à votre activité propre, de se comporter comme si de rien n'était : la force de ne pas brasser dans sa tête du matin jusqu'au soir la jalousie de ce qu'elle fait, qui elle voit, à qui elle parle, et l'argent qu'elle seule rapporte désormais pour le toit et le manger de chaque mois, la jalousie où on est d'une dignité quand on ne compte plus. Et maladie de prétendre recruter des alliés contre la corruption intérieure en exhibant sa familiarité avec elle : oui je trichais, oui je buvais (j'ai toujours bu) et ces rêves bizarres où on s'éveille en riant franchement : ça ne m'était jamais arrivé. La vie est dure, un soleil sec se répand comme un couvercle où les rues se font plus longues encore. J'étais censé chercher du travail, je revenais sur la zone. J'ai été dans les garages. Trop de choses entrevues, où plus rien ne se donne, même à moitié. Le monde détruit des rêves. Et repartir encore, quand tout ici avait été un départ, le silence désormais des soirs : « Je suis fatiguée », disait-elle. Je l'étais plus qu'elle, de n'avoir rien pu dépenser de ce que les nerfs renferment, et ce qu'on laisse partir de soi dans la sueur et les muscles, le grand repos qu'on trouve et l'apaise-ment aux tâches principalement musculaires (quand on s'est fait à cela, que c'est là seulement ce qu'on vous accorde pour cette aspiration à entrer dans le groupe). Et dans la moindre parole quelque chose qui vous remplit chaque fois d'une crainte inextinguible, on sent sous soi son propre corps à la fois tendu et inerte, la parole on ne la commande plus, on sait qu'on va faire une bêtise, on va vers elle et on ne sait pas l'éviter, on n'a plus qu'à passer au travers parce qu'au moins tout sera clair. Je l'aimais, je l'insultais, l'ardoise s'aggravait. Conceptions qu'on voulait d'une splendeur presque barbare ou d'incandescence hypnotique, l'incendie enfin mis sur tout ce qu'on a de bon à lui dire, à elle réservé, et déjà elle dormait, et le matin revenait avec son jour à ne rien faire, pas de travail pour moi.

La femme. La vie s'était déréglée. En même temps qu'on le vit, on se doute bien qu'il faudrait réagir mieux qu'on le fait, que la manière qu'on a de répondre aggrave plutôt la tension qu'elle ne la résout. On est dans l'étau, on a assez à faire de sa propre fatigue, de son propre besoin d'un moment de calme, d'un quart d'heure entière-ment seule et sans parler, sans entendre, sans voir, quand on revient, qu'on quitte enfin, la jour-née faite, le monde des musiques fabriquées et des appels au haut-parleur, du ballet des visages anonymes et chaque minute la même suite à refaire des paroles réglées. Quand je rentrais, c'est lui aussi, Frank, qu'il me fallait mettre au vestiaire avec le monde du jour. Un peu plus tard, et j'étais heureuse de le retrouver pour l'autre vie, pas celle qu'on a pour la loi du groupe et les exigences qu'il a de vous d'être à cette place et de faire ces gestes, compter les chèques et rendre huit heures durant la monnaie pour que vous en revienne un petit millième ou moins encore. La vie où on est au centre du monde, et où tout ce qu'on aperçoit jusqu'à l'horizon contribue à vous réconforter dans cette illusion, malgré la certi-tude où on est jusque dans un restaurant ou à la sortie d'un cinéma, ou chez soi en revêtant les habits ou peignoirs confortables qu'on garde pour l'intimité, que jusqu'à l'horizon aussi ceux qu'on aperçoit se meuvent dans la même illusion partagée. Il était là quand je rentrais, debout dans la pièce et la trace sur le canapé qu'il y était resté longtemps allongé. Et parfois pas une parole sur ce que j'avais fait et à qui j'avais parlé, ou tout le contraire, et que je lui rende un détail qu'il ne m'avait pas semblé en cours de route nécessaire de considérer avec tant d'importance. Tout ce que je faisais c'était de travers. Et même de l'avoir amené là, dans la « boîte à bonbons », comme il disait. Et que si on lui avait retiré ce travail c'était non pas pour ses capacités ou la manière qu'il avait de remplir son contrat, mais pour des opinions personnelles des autres à son égard, dont je devais forcément être la complice puisque moi je continuais. « Et toi, qu'as-tu fait de ta journée ? » Et je n'osais plus même lui demander parce que son haleine seule m'informait d'à quoi il avait passé son temps, et l'odeur de cigarette à ses vêtements et même le ton de sa voix si ç'avait été avec d'autres au bistrot d'en bas, ou tout seul ici dans l'appartement. Au début, pour entrer dans ce bistrot et en connaître les dix comme lui qui y fréquentaient, le prétexte de promener le chien. Maintenant, quand je rentrais, il me disait : « Il y a ton chien qui demande. » Et je redescendais faire faire au chien ses besoins, et je ravalais ce que j'aurais eu à dire. Ce chien était malade des articulations, il avait fallu le vétérinaire, qui n'avait rien pu faire. Maintenant mon mari descendait, prétendait-il, pour ne plus avoir à rester dans quatre murs avec le chien, qui pourtant ne faisait pas de bruit, continuait à remuer la queue en nous voyant venir à lui, mais qu'il fallait porter dans l'escalier. Un jour je suis revenue une heure plus tard. Il y avait un pot avec les copines, rien de bien méchant, une naissance, un départ je ne sais plus. Mais je n'avais même pas osé l'en prévenir. Et le matin il faisait semblant de dormir jusqu'à ce que j'aie fini de me préparer, et se levait après. Alors donc c'était le tromper, se moquer de lui, l'humilier disait-il sous prétexte qu'il n'avait pas de travail et avait tout laissé pour me suivre. Laissé quoi ? Et quelle possession même aurait mérité d'être mise avec nous en parallèle ? J'ai bien pensé qu'il allait me battre. J'aurais préféré. Il a pris le chien et l'a lancé par la fenêtre ouverte de la cuisine, jusqu'en bas sur la route. Je ne suis pas allée voir. Je suis entrée dans la chambre et j'ai tiré le verrou. J'ai entendu qu'il sortait, et quand il est rentré dans la nuit il a vomi, puis a dû s'allonger sur le divan parce qu'il ne m'a pas rejointe, ne m'a pas demandé le pardon qui aurait tout sauvé. Alors j'ai eu peur, et depuis j'ai peur. J'ai écrit à Catherine parce que c'était mon amie, et quand elle a proposé de venir j'ai accepté.

Le gardien. Je lui disais : « Comment va le petit chien ? » Elle me répondait qu'il guérissait, mais pas vaillant encore. Qu'un jour elle me l'amènerait. Mais la jeune dame parlait peu. « André, et vous, comment tient le moral ? » Ou alors : « Mais vous, André, où habitez-vous donc ? » J'habite loin, un cabanon, entre Martigues et Port-de-Bouc, mais tout près des plages (j'aime la pêche) : « Vous devriez venir un dimanche, j'avais dit à la jeune femme, on peut se baigner. » Parce que le dimanche les raffineries tournent au ralenti. « Mais, André, à quelle heure partez-vous le matin pour venir ? » Je suis un homme qui dort peu. « André, ça ne vous fait pas peur d'être tout seul ? » Quelquefois j'aurais aimé dire à la jeune dame qu'à d'autres ça aurait fait du bien certainement, d'être un peu plus seuls. Gardien de jour, je voyais bien quand celui qu'elle disait son mari venait rejoindre ses anciens copains du fond, et ce qu'ils avaient à trafiquer ensemble, que l'autre chargeait sur sa Mobylette dans des cartons en mauvais équilibre.

127

L'auteur. Ce sont encore des images d'Angers, vieux quartier de la Doutre. Cette fois des intérieurs, entrées de maisons, couloirs, escaliers. Autrefois j'habitais une maison dont les voisines étaient en démolition, on sentait les murs pencher et trembler, on voyait les lézardes avancer. Ce qu'on ne savait pas, c'est que celles qui resteraient seraient réhabilitées luxe une fois que les derniers d'entre nous seraient partis. L'écriture s'est construite lentement, comme on rogne dans une pierre hostile. Ce qu'il y a à vaincre c'est la honte. Il fallait accrocher un élément, puis un autre, juste un coin de fenêtre, un rideau rouge qu'on tire, et continuer. Le visage d'un type et la commissure des lèvres, l'odeur d'essence brûlée d'une Mobylette, et continuer. Un moment vient où on peut obéir à ce qui déjà s'est amassé, qui dicte par où continuer, ou montre du moins la direction encore impénétrable par où il va falloir passer. On attend. Il faut deviner la faille, elle n'est jamais où d'abord prévu. On prend le détour, on revient, et la spirale recommence. Il faut attendre. Et parfois longtemps, et parfois d'une phrase à l'autre. Que chaque ligne présente un décalage par rapport à la précédente oblige à se constituer soi-même dans ce décalage. La vie de tous les jours, aujourd'hui plus terne que jamais. Si on va dans ces eaux troubles c'est seulement pour s'y pêcher soi-même, parce qu'on n'a pas sinon matière à grandir. On voudrait ouvrir de ces galeries de vie grouillante, mais plus on avance plus le décor est nu, les murs de la pièce sont gris ou jaunâtres, et le plancher une rue vide où on ne voudrait pas habiter, qu'un vent misérable traverse en sifflant. On ne choisit pas une histoire à l'extérieur de soi-même. Ce n'est pas que celle-ci m'ait frappé, plutôt comme un bout de ces méchants pansements qui vous collent, et changent de doigt quand on prétend l'enlever. Il me fallait chercher à comprendre comme on forerait dans une épaisseur une galerie de mine, il y avait des choses faciles à trouver : la ville, où j'avais habité quatre ans, et une fois, dans cette même rue, un endroit bizarre, avec une porte normale, mais une autre porte au fond de la chambre (les voix de travailleurs portugais qui se serraient là, de l'autre côté de la cloison) donnait sur un W-C commun, d'où on pouvait remonter par des marches vers l'escalier au palier du dessus. Evidemment on ne payait pas cher de loyer, on n'aurait pas pu. Cette avenue René-Gasnier, et ses appartements mi-désertés à hauts plafonds et anciennes moulures, où les pièces compliquées s'assemblent en désordre sans qu'on reconstitue le plan ni qu'on connaisse un jour ceux qui vous entourent derrière les cloisons trop minces : douze ans après j'en ai encore l'odeur. Ou la lumière carrefour de l'Europe un matin après une nuit blanche, la fatigue sur nous et l'impasse où tous on était, les voitures brinquebalantes qu'on conduisait trop vite, parce qu'on se moquait de tout et que l'alcool aide à passer on ne sait trop comment d'un bord de la semaine à l'autre. La caserne aussi, le mur qu'on longeait et comment une fois il avait fallu s'y présenter pour les « trois jours » (un jour et demi, en fait) de la sélection obligatoire, la beuverie qui suivit de n'avoir été pas retenu et croire ainsi gagner un an sur la vie. Le fait divers, plus tard (quand on croit avoir échappé soi), quand ce quart de page du *Courrier de l'Ouest* me parvint par hasard trois cents kilomètres plus loin, évoquait d'un coup une masse isolée de jours où penser n'aurait pas été possible sans casse. On s'en était remis au hasard et aux gares, comme ceux-là avaient fait, et on avait le même âge. On était sur des rails, ceux-là sur d'autres, mais interchangeables et c'est ce malaise-là qu'il fallait négocier. Et le désir aussi d'une violence de hasard qu'on avait pu alors avoir pour initier la démarcation nécessaire à un départ neuf. Ce qu'on traîne dans sa tête au milieu de l'échec, sans savoir par où rompre le rideau noir, comme ce type l'avait fait avec un tournevis et une Mobylette. Il ne s'agissait pas de l'excuser, et on ne touche pas impunément les choses sales, à moins de regarder les mêmes en soi. Les autres éléments s'empilaient, la fuite en Allemagne et les petites villes qu'on connaissait si bien à l'époque qu'il était tellement facile de débarquer n'importe où et s'embaucher si on savait dire *Danke*, *Brat Wurst mit Pommes Frites*, *Ein Bier bitte* et *Wieviel*. Et les nuits allongé sur la mauvaise banquette des trains et les papiers qu'on sort au passage des frontières, et la ville de Marseille que moi aussi j'avais essayée pour ce besoin de s'éloigner et d'un brassage anonyme mais mieux rehaussé de couleurs et de ciels. L'histoire s'est refusée longtemps, puis voilà, ce fait divers tombait comme une passerelle dans le brouillard qui aurait mené à ce que de toujours on aurait voulu garder secret.

Déposition 10 (jalousies)

L'amie. Je suis arrivée les voir à Chutes-Lavie un vendredi matin, elle avait pris sa journée et m'attendait. « Arne n'est pas venu ? » Il ne s'était pas déplacé, restait enfermé dans leur appartement. Sylvie m'a proposé d'aller manger en ville, et c'est ce qu'on a fait. Au moins étions-nous toutes les deux. On a déjeuné dans le centre, tout en bas de la gare, sur une petite place, et puis on a marché. On est allées jusqu'à cette église qui domine l'entrée du port et de la mer. S'y mêlait l'odeur d'une boulangerie, et le soleil tombait lentement. On a parlé longtemps, on n'avait pas besoin de bouger. Plus tard on était dans ces rues populeuses au moment que la presse les gagne, à la fin des bureaux, au long de magasins qui sont les mêmes et présentent les mêmes enseignes qu'on soit au Mans ou rue Saint-Ferréol à Marseille. Sylvie, je l'ai compris, n'avait pas envie de rentrer et là ce n'était plus mes affaires, du moins ce n'était pas encore l'heure des questions directes, ou encore : n'avoir pas envie de rentrer était une manière d'ouvrir à ce qu'elle ne se donnait pas encore le droit de me dire, ou bien elle ne trouvait pas en elle-même la force de percer cette coque de silence qui lui servait de protection. Que je sois là avec elle pour trois jours et qu'elle soit avec moi centre-ville lui donnait enfin le droit ou le courage de dire à l'autre, son mari, qu'elle n'avait pas envie de rentrer et qu'elle le lui déclarait ainsi. Et c'est donc moi qui ai proposé, alors que nous venions une fois de plus de déboucher sur ce bassin aux bateaux morts, à l'odeur de poisson mort, où le soleil de cuivre suspendu commandait sans doute au grondement saturé des voitures immobiles : « Si on allait au cinéma, ça ne te changerait pas un peu les idées ? » Elle ne s'en était pas encore ouverte, mais sans les allusions de sa lettre je n'aurais pas été là, à neuf cents kilomètres du Mans, à traverser des rues présentant les mêmes éternelles enseignes. « Si tu veux, répondit-elle, comme si ce n'était pas elle qui d'abord le voulait. – Tu ne téléphones pas ? » Elle n'a pas téléphoné et quand dans la nuit nous sommes arrivées à leur appartement lui regardait toujours la télé, on s'est fait la bise comme si on s'était vus de la veille et il avait cette ironie plus déplaisante que tout, plus agressive que tout en ne lui faisant pas reproche, en semblant dire : « J'avais tout compris et tout prévu. » Et ses yeux brillaient aussi par la bouteille débouchée devant lui qu'il ne prenait pas la peine de dissimuler, nous offrant même à boire et Sylvie et moi acceptant par un même défi comme si plus rien n'était possible qui soit du dialogue ou de la réconciliation : partager le verre impliquait la totale réserve extérieure et le vide de nos paroles (qu'est-ce qu'on avait mangé le midi et où, et si on n'avait pas faim, là tout de suite après le film ?) comme un jeu réglé d'avance. J'ai dormi dans le lit une place de la chambre contiguë à la leur, j'ai bien reconnu le lit sur lequel Sylvie et moi nous nous asseyions dans sa chambre du Mans, il y a si longtemps, pour des espoirs que ce que je voyais de la fenêtre sans volets dont on ne tirait pas le rideau ne remplissait en rien.

La femme. La rupture s'était faite, ou sa déclaration. Qu'il réagisse. Et il n'a pas réagi. Le lendemain, un dimanche donc, quand nous nous sommes réveillées, lui était déjà descendu chercher des croissants, ce qu'il n'avait jamais fait pour moi. Il était rasé et lavé, il y avait même des fleurs sur la table (et si c'était les mêmes qu'au grand parterre du rond-point ce n'était pas à moi d'en faire la remarque, après tout elles étaient fraîches et de belle couleur). C'est même l'odeur du café qui m'a fait sortir de la chambre, et Catherine presque en même temps. Le soleil entrait par le balcon, la porte était ouverte et peu après le soleil caché par la colline apparaissait en face, transformant le coin de mer qu'on apercevait en métal brillant, un métal en fusion doré. Il plaisantait. Il a demandé qu'on reparle encore de notre journée de la veille et c'est Catherine qui a dû lui raconter les grandes lignes du film qu'on avait vu, lui en tirant des généralités qu'il supposait ne nous être pas accessibles et je laissais faire. Alors on a décidé de partir pour les îles, puisque Catherine ne connaissait pas et que nous-mêmes, après dix-huit mois de Marseille, n'y étions jamais allés. On a pris le bus pour le Vieux Port, presque vide un dimanche à cette heure, et pris le billet complet Frioul-Château d'If. Et quand après la courte traversée (mais on s'était mis devant, pour rire des éclaboussures et du vent, et un grand cargo nous avait surplombés, qui partait pour l'Afrique) on était arrivés dans l'île, on avait marché par le chemin rouge jusqu'à sa limite, au pays des oiseaux. Et dans leurs cris qui recouvraient tout le reste c'était avec Catherine qu'il parlait. Qu'en avais-je à faire, si j'avais pour quelques dizaines de minutes un peu de silence et enfin la paix. On était assis, moi surplombant la mer, eux un peu en arrière et parlant, le soleil nous chauffait le corps en entier. On a pris un verre et un sandwich sur le petit môle, on s'est amusés de loin à reconnaître notre immeuble, tout là-haut. Et quand on a visité la vieille prison fortifiée, d'un coup il s'est mis à raconter ses trois semaines en Allemagne, pour cette histoire de voiture volée et de service militaire pas fait, quand il s'était débrouillé avec un avocat (une bonne partie de l'argent que nous avions emporté pour le séjour avait filé d'un coup) pour que se présenter lui-même et accepter la peine coïncide avec l'amnistie prévue de longue date. En tirant gloriole : « Même trois semaines, on comprend tout », et me lançant des fleurs : « Sylvie est venue tous les jours », et comme si toute sa vie s'était passée dans les murs jaunes et moisis du château d'If, et non pas dans ce centre moderne où on vivait aussi bien que dans un foyer quelconque, moi me mettant à penser (mais il y avait eu l'apéritif et la bière pris un peu avant au bistrot du môle) : « Et si tu te retrouvais vraiment en prison pour toute ta vie ? », me souvenant aujourd'hui d'avoir pensé cela, nous ensuite discutant sur le bateau du retour de ces questions d'amnistie et réduction de peine, que même une peine de sûreté finissait par être compressible : Arne aura juste passé quarante ans quand il sortira de sa centrale (masse sans cesse grossissante de ceux qui vivent dans la rue), et moi où je serai ? Le soir on avait regardé la télé et pas beaucoup parlé, aucun de nous trois.

L'amie. De toute la journée du dimanche je n'avais pas eu un moment pour parler à Sylvie. Quand on a voyagé depuis Le Mans jusqu'à Marseille, changeant à Paris d'un de ces étroits wagons des TGV pour un autre, un peu de soleil sur la peau et ne rien faire est bon. On s'était laissés un peu vivre, ils en avaient besoin eux deux aussi, apparemment. Un apéritif (deux pour lui), un verre de vin avec le sandwich, plus le plein air et le vent de mer, une tranquillité s'instaure dans la tête, on n'éprouve plus le besoin de dire. Cette charge silencieuse entre nous trois, que chacun savait ce que les deux autres avaient dans le fond de la tête, savaient de lui-même. J'avais à Sylvie parlé de moi et de Joël. Ce qui me convenait, ce qui ne me satisfaisait pas entièrement encore et me laissait hésitante. Une vie tracée droit et qu'il me dessinait d'avance comme preuve que nous avions fait le bon choix, et si moi ça ne me suffisait pas ? Dans cette conviction d'une route sûre, le travail que j'avais, place de l'Europe au tabac, n'avait plus sa place. Ce n'était pas cette vie-là que je souhaitais voir établir comme norme définitive, mais remplacée par quoi d'autre ? Dans ces heures là-bas (c'est une condition qu'on apprend vite dans ce métier) on porte comme en avant de soi-même sa figure et ses paroles dans une distance dont on apprend à jouer sans jamais l'annuler. On s'accommode de la vie qu'on mène par le sentiment que la condition en est provisoire d'un flottement soumis à ces rencontres aléatoires où tout pourrait basculer, croit-on, sur un chemin qui ne laissera que peu de souvenir des ternes durées ici tenues. On a dans un coin de la tête envie d'un départ : et même cette pauvre navette, qui mène à un rocher en vue de terre, pourvu d'un peu de soleil et de la vue des cargos qui eux s'en vont plus loin, vous en fournit promesse. La chambre qu'on porte en soi n'a pas forcément de fenêtre sur la vie qu'on mène, mais un tableau accroché y maintient en secret ce départ et ce rêve, permet ainsi de tenir, et prolonger l'état immobile où les jours continuent. C'est bien ce flottement que j'étais venue chercher à Marseille et si j'ai fait une bêtise, tant pis : c'est que voilà le meuble et la charge que cette chambre secrète attendait, un poids supplémentaire pour la garantie de ne pas jeter trop tôt l'ancre. On veut sans le vouloir aller une bonne fois et vite dans le fond de la dérive pour s'en prouver l'échec et se consoler ainsi d'avance de cette certitude plus profonde encore : que c'est la route normale et droite qu'on va prendre dès le retour, parce qu'on n'a pas le choix, que c'est cela qui fut pour vous tiré. Ce qu'on garde dans sa tête pour soi-même et ne correspond que par hasard au parallèle flottement d'un autre. Frank tiré à bout, Frank usé et abîmé. Et si nous nous taisions en regardant leur télé ce soir-là, c'est bien pour l'impuissance où on était chacun, et le sentiment que cette journée nous n'avions pas été capables d'en faire ce qu'il fallait, de nous être contentés de trop peu. Les cargos ne s'étaient pas emparé de nous. Insatisfaction comme à n'avoir pas osé se mettre nus, quand c'est ainsi que chacun voyait les deux autres : à travers. Et la seule certitude ce soir-là, quand lui, Frank, vint se mettre entre Sylvie et moi qui regardions par la fenêtre le soleil tomber dans la mer, nous prenant par les épaules, d'une identique conscience du manque. Nous avons dormi dans deux chambres, et trois chambres intérieures, sans porte pour les rendre communicantes. Je doute que, dans sa chambre sans porte ni fenêtre, lui Frank ait un moment dormi, ou quels rêves il put faire et y avoir : non pas celui en tout cas qui aurait présagé de ce qui allait advenir et nous en aurait détournés.

Le gardien. Et la petite dame un matin ne s'est pas présentée. Je connais les services, je m'en suis aperçu bien avant eux, des plannings. Et quand ils ont essayé de téléphoner ça n'a pas répondu. Alors ils sont venus me demander : « André, vous qui la connaissez ? » Mais je ne savais pas. « Elle était bien tendue, j'ai dit, elle va prévenir c'est sûr. » Je savais bien en gros où elle habitait, ce n'était pas si loin, elle m'avait même montré l'étage, les fenêtres. J'ai trouvé le nom sur la boîte aux lettres, et je suis allé frapper. Le lendemain, j'ai dit au planning : « Il n'y a personne, on ne m'a pas répondu. » Ils ont promis d'attendre encore deux jours pour la lettre recommandée, mais en soulignant que ça ne se fait pas. Il paraît que c'est sa mère qui a téléphoné, et dit qu'elle ne reviendrait pas. Et encore sa mère, à la jeune dame, qui un jour m'a demandé aux caisses. Elle lui avait dit : « Demande à André. » Et le lendemain soir je suis retourné à l'appartement. Il y avait le monsieur aussi, son père, mais qui ne disait pas grand-chose. J'ai dit : « Si elle n'a pas eu d'ennuis, tout de même, cette jeune dame si gentille ? » J'ai dit aussi : « Le chien ils l'ont donc emmené avec eux ? » Ils n'avaient pas, les parents, entendu parler du chien, et pas la mine à ce que j'insiste. Quand même, quand on aide à un déménagement, on est en droit de savoir. « Alors, où elle habite, maintenant ? » j'ai dit. En insistant sur le « elle », parce que je me doutais, et je voyais bien à comment ils séparaient les affaires. Ils m'avaient fait leur apporter des cartons vides. J'en avais récupéré un stock, et des plus solides (en supermarché on les connaît), et attaché ça sur la Mobylette, j'en avais plus haut que la tête. J'ai bien vu comment ce qui était de lui, pantalons d'homme, vestes et affaires, c'était jeté sans amour. On a tout mis dans la camionnette qu'ils avaient louée, immatriculée 72. Il y a eu aussi des choses qu'ils m'ont données en souvenir, des choses de cuisine, des choses qu'on n'emporte pas. Elle leur avait dit, m'a répété la mère : « Ce sera pour André. » Je m'étonnais qu'elle ne soit pas venue elle-même : « Elle a changé de travail, elle n'avait pas le temps... » Ils sont partis tous deux sur le siège avant de la camionnette. J'ai demandé l'adresse, écrit à la jeune dame chez eux, et jamais de réponse.

L'amie. Et donc le lundi matin elle reprenait son travail, quand je l'ai entendue se lever et se faire du thé je me suis levée aussi, elle reviendrait l'après-midi. On n'a pas parlé d'Arne, qui restait là aussi. « Peut-être tu iras en ville, elle m'a dit, il y a des trucs à voir, même si le lundi quelquefois c'est fermé. Ou les plages, par le bus 21, que tu prends sur le port. » Ensuite j'ai mis de la musique. Lui s'est levé peu après, et pendant que je finissais ma douche avait fait du café, j'en ai bu avec lui.

« Il faut que nous parlions, toi et moi », je savais que ce serait son tour et sa version, et même, j'ai pensé, dans la tête à Sylvie sans doute c'était prévu qu'il me déballerait son sac, et que si je venais à Marseille c'était pour mettre dans son mensonge quelques grains de sable, ou l'aider un peu, elle, dans ce mur que lui portait dans la tête. « Eh bien vas-y, j'ai dit, parle. » Il a prétendu que ce n'était sans doute pas la peine, qu'elle m'en avait dit beaucoup. Qu'elle avait sans doute raison, qu'il était fait de telle façon qu'il se savait rigide et peu apte à s'imprégner de ce qui n'était pas sa nature. Moi seulement le reprenant sur des mots, comme s'il n'y avait pas d'opinion à dresser face à une opinion, mais un peu de question peut-être à réintroduire comme une fondation insuffisante rend un bâtiment fragile : « Nature ? qu'est-ce que ça veut dire ? » Il avait des réponses. « Tu vois, ici pour moi c'est une boîte, je n'aime pas les boîtes. » Un moment plus tard je regardais à la baie vitrée la mer très loin. Il y avait ce trouble de s'être mise si près de ces deux-là. Le soleil chauffait la vitre, un bateau très loin passait. Il est venu derrière moi tout près, et tout s'est fait doucement. Est-ce que ça a duré une demi-heure ? Après il n'osait pas me parler et tournait ça à la rigolade : « Ce n'est jamais de la rigolade, j'ai crié, stupéfaite même de ma voix, jamais, tu entends ! » Et, regardant à nouveau la mer, mais lui plus loin, tournant le dos. « Tu boirais moins, ça ne t'arriverait pas et c'est ça qui te tracasse » : c'est ce que j'ai pensé, sans lui dire. Sylvie déjà me l'avait laissé entendre, quand bêtement j'avais parlé d'enfant. « Ou alors après une bagarre, m'avait-elle dit, si on s'est vraiment disputés : il reste donc bien quelque chose, tout ça n'a pas été vécu pour rien. » Et lui, se doutant qu'elle m'avait parlé d'eux jusque dans ce plus intime qui venait entre nous de se vérifier, et l'éclair que j'avais pu surprendre, la violence dans un homme non pas liée à ce qu'on lui fait subir mais naissant d'autres processus que lui-même ne comprend pas. Moi aussi alors préférant sourire et m'éloigner, prendre une douche et proposer : « Tu m'emmènes en ville ? » Et c'est ainsi qu'on s'est retrouvés deux heures plus tard à visiter l'aquarium du Prado et commenter les poissons (on était ce lundi les seuls visiteurs : « Ces cons de poissons », il avait dit pour seul commentaire).

Un avocat. Entrer dans votre appareil, oui, j'accepte. Pour le reste c'est non, et pour votre appareil aussi je vous le confirme : vous n'aurez pas de moi d'adresses ni aucun renseignement. Débrouillez-vous. Parce que ce qui vous intéresse, vous, moi ne m'intéresse pas. J'ai été avocat de la défense, nommé d'office, et j'ai fait mon travail. Voilà ce que nous entendions : « Individu extrêmement dangereux lorsqu'il vit en état passionnel. La proie d'une jalousie morbide, d'une angoisse insurmontable. » On en avait fait un animal prisonnier de son corps organique et de ses pulsions, méchant. Le mot « individu » ne venait que pour mieux l'éloigner du genre. Mon client, dans nos entretiens, était maître de lui-même : il n'y a pas pour un homme de tableau en blanc et noir. Et prenez ainsi la plus petite case par où un homme vous paraît solide, vous saurez bien y adapter un morceau, même tout aussi petit, mais déterminé par celui-là et qui s'y emboîte, jusqu'à retrouver l'homme entier, là où il a perdu contrôle. Ce travail, une fois qu'on a une piste et qu'on ne plaide pas l'irresponsabilité, on le fait tout entier. Il y a eu le réquisitoire des parties civiles : « soirée de haine », ou bien « une effroyable descente aux enfers », c'est si facile de coller les mots qui plaquent sur la réalité complexe tel registre d'une autre, plus symbolique et qui lui préexiste. Le mot « soirée » exclut de l'affaire tout ce qui lui précède, en fait une unité tragique comme on regarde un film. Et « effroyable » aurait été plus efficace après « descente aux enfers », qu'il réduit au cliché, parce que voilà seulement le cas que fait l'ordre du monde des épines qui le traversent : les faire coïncider avec les petites cases pour lesquelles des mots sont prévus. L'avocat général, mon collègue et ami, quand il s'exclame : « Dans cette affaire, l'absurde côtoie le néant et la mort la fureur et les larmes : l'accusé doit être éliminé », c'est aussi le registre exigé par son rôle. *Le Courrier de l'Ouest* écrit : « La tâche s'avère alors difficile pour le défenseur de l'accusé. Pourtant l'avocat (c'est moi) ne baisse pas les bras et plaide les circonstances atténuantes. » On peut faire et dire ce qu'on veut, on ne perçoit de vous-même que ce registre qui vous a d'abord été assigné, quand bien même on a tout conçu hors de lui, et pour s'en séparer : « Sa jeunesse d'enfant battu devait l'amener à l'absurde, à cette situation passionnelle, à cette jalousie pathologique. » Cette phrase m'est nominalement attribuée dans l'article, je ne l'ai pourtant pas dite. Beautés ordinaires de notre presse dite locale. Nous n'avons pas été vérifier s'il avait été battu ou non. L'aurait-il été que devant ces deux pauvres silhouettes écrasées, toutes frêles, son père et sa mère qui avaient fait le déplacement, que j'ai reçus la veille du procès, comme je les avais vus lors d'une visite à leur fils peu après l'inculpation, pour qui je serais passé ? J'aurais fait rire. Et celui-ci, mon client, a eu la dignité de ne pas se donner des allures d'ange malheureux. Il y a un monde violent, et sur ce monde violent des plaques plus rigides, où ce qui délimite les cases est plus strict. Et des hommes cassent pour être passés dans la case à côté mais y avoir transporté sans savoir des restes de cette rigidité. Mais avec un petit peu d'âge, quelque antidote vous ayez mis entre le monde rigide et la vie que vous menez, c'est la première donne qui revient et contamine le tout. Le vieux monsieur frêle m'avait même demandé, presque naïvement (je parle l'allemand assez bien) : « Mais tout ça ne peut pas être jugé en Allemagne, puisque c'est son pays ? » Le vieux monsieur, quand je lui ai demandé ses états de service, a d'abord été bien empêché de répondre. Je lui ai expliqué qu'il était dans l'intérêt de son fils que j'en sache assez et avec un peu de précision. Mais cela non plus n'explique rien en entier. Il n'y a pas, même dans le plus rigide des mondes, une flèche ainsi plantée qui détermine pour un homme une direction univoque. Quinze heures de Mobylette quatre-vingts centimètres cubes pour rejoindre Marseille au Mans, cela ne se comprend pas avec la tête. Je ne suis pas allé le vérifier en l'exécutant moi-même, mais l'envie ne m'a pas manqué. Nos métiers de parole ne valent qu'éprouvés dans une expérience plus large, qui n'est pas celle des mots, et où le renouvellement du monde se joue dans des lois brutes, et cela aussi l'homme de parole peut le partager implicitement avec ceux qu'il défend, nés de ces lois brutes. Métier que j'aime pour ce qu'il comporte d'une obstination âpre qui n'appartient pas au monde de la parole, et plutôt d'une matière humaine comme malaxable, où jamais ce qui paraît extrême et né des bords, de ce qui est radicalement exclu des normes, ne déborde ce qui est en vous-même malaxé dans le conflit de raison, où surmonter, pour se compor-ter dans le vivier protégé, ne confère pas en soi de supériorité. Et que cet extrême, là où il heurte au monde, quand vous le rapportez à ce qu'en vous-même vous malaxez, est plutôt un outil, une faible ampoule de plus allumée pour se déchiffrer soi-même. Qu'importe, sinon, le jeu ? Ce n'est pas moi qui endure les peines infligées à mes clients. Cet homme de vingt-quatre ans avait tué : j'ai travaillé mon dossier en détail, et je me suis même rendu à la fourrière où provisoirement était gardée sous scellés la voiture de sa victime. Pour une 205 GTI qui aurait quitté la route un soir à vingt-trois heures, avec le taux d'alcool dépisté par l'autopsie chez ce garçon de Pornic, on n'aurait pas fait tant d'histoires. Demandez à n'importe quel pompier de France combien il a extrait aux bords des villes de gamins de vingt ans d'une Peugeot GTI sur le toit, aux alentours du petit matin et la sortie des boîtes de nuit. Et mettez ça aussi, si vous voulez, dans votre appareil : ça ne me gêne pas. C'est à des choses comme ça qu'intérieurement on se tient lorsqu'on assume la défense d'un geste qu'on n'aurait pas exécuté soi-même. « Situation passionnelle et jalousie pathologique » ? Je plains ceux qui ne sont pas jaloux jusqu'à la pathologie. J'ai parlé de « refuser l'élimination à vingt ans », c'est dans ce papier que vous me montrez. Je m'en suis tenu à cette idée simple. Ça n'a pas suffi, tant pis. On ne change pas à sa volonté la grosse mécanique d'un monde, et ce qu'il préfère mettre à l'écart de ses normes et rouages. Mais vous-même ? Osez prétendre que seule cette mécanique humaine fonde votre démarche. Vous n'en prenez que l'esthétique et prétendez par confort que cette esthétique a besoin de cet envers du monde où obscurément, sans vous, nous travaillons tous les jours. Démontrez-moi qu'on pourrait se préoccuper d'esthétique sans que les images passent premières : l'art doit rester une énigme. Fermé jusqu'à l'inaccessible, ou rien du tout : entendez-vous ? Quand on défend un type et que pèse sur lui une peine de sûreté de dix-huit ans, on ne se mêle pas d'esthétique, on fait un travail. Qu'avez-vous à faire de ces adresses que vous avez osé me demander, et de ce que ces femmes deviennent ? Et de mon client dans sa centrale de Châteauroux, où vous ne pénétrerez pas ? Si c'est d'art qu'il s'agit, et de sauver ce qui en lui est par nature énigmatique, vous vous passerez bien de tout cela. Je vous souhaite bonne chance. Permettez-moi de croire à la supériorité de mon travail obscur et bonsoir.

Déposition 11 (échappée)

Mécanicien. J'avais pissé dans ma culotte, et ça se voyait dans la jambe droite. Il n'était pas sûr que la haine soit encore de son côté, il en avait trop fait, et nous en avions trop avalé. Une fatigue s'était prise de lui, comme si enfin il avait tout laissé filer, que son réservoir était vide. L'équilibre m'a manqué parce que les genoux ont faibli. Cela faisait pour moi treize heures, et la tête m'a tourné. J'ai entendu Catherine lui dire : « Mais libère-le, il ne te fera pas de mal, tu as assez fait

149

de mal. » Et disant cela elle-même venait et déliait la bande qui me serrait les pieds. J'ai pu me relever. La sueur avait détendu un peu les poignets, et j'étais séparé du radiateur. « Qu'il puisse s'asseoir », elle dit. Et c'est Sylvie qui ajouta : « Tu ne peux pas nous empêcher d'aller... Tu ne vas pas nous obliger à garder la porte ouverte. » Voilà qu'il laissait tout faire, on sentait qu'il allait se reprendre. Catherine me tenait par le bras et je m'appuyais sur elle, elle dit : « Viens à la cuisine, je vais te mettre un peu d'eau sur la figure » ou une bêtise comme ça, juste pour le rassurer lui, qui peut-être ne nous entendait même plus, blême et comme ivre, avec de la peine à se tenir droit sur ses jambes, les yeux rouges, au milieu de la pièce et son tournevis à la main comme sous une menace directe. On passerait près de lui. Il ne savait pas que j'y voyais et Catherine me guidait comme si je n'y voyais rien. Sylvie l'avait-elle compris ou pas, puisqu'elle fit de son côté du cinéma, qu'il se tourna vers elle et amorça un pas, il ne m'en fallait pas tant. Mes deux mains étaient liées au poignet mais je pouvais écarter les doigts. J'ai pensé à ceux qui jouent au golf, qu'on voit des fois à la télé. Attraper la chaise par le haut du dossier et tourner le corps comme une toupie, que ce soit à l'horizontale et que ça aille vite, que ça aille droit. Quand il s'est retourné j'ai vu ses yeux et de l'étonnement. Pas de vengeance, ni la pose ou le regard d'un homme qui combat. J'étais, je ne sais pas pourquoi, concentré sur mes genoux vaguement fléchis, comme si la force en dépendait. Le bois s'écrasait sur le visage du type et c'était assez pour qu'il plie. Alors je reprenais la chaise droit et c'était comme un mouvement de revers, et là j'ai visé la tempe, et que la chaise frappe par l'angle du bois. Il est tombé en avant. Il était à terre, et la troisième fois tout mon poids s'est ajouté à l'inertie du bois, qui a craqué. Il y eut une énorme traînée noire sur sa figure et j'ai pensé : « Je l'ai tué. » Et cette pensée était neutre et toute blanche, presque sereine. Alors on a pris le temps de l'attacher avec sa réserve d'Elastoplaste. Et c'est avec son tournevis affûté pour le crime que j'ai enfin tranché la bande à mes poignets. Sylvie restait à distance. Catherine a mis la main sur le cœur de Frank étendu, et pris au poignet le pouls : « Il respire. » On avait repris dans sa poche les deux clés de la porte principale. On aurait eu le temps dix fois d'ouvrir et de courir, aucun de nous ne l'avait fait. C'était fini, rien ne pressait. Mais tout avait basculé, et déjà les quelques mots que nous avions à nous dire sonnaient faux, avaient à traverser d'un corps à un autre corps une étendue hostile. C'est moi qui ai réagi. Les filles restaient debout devant Frank, le regard parallèle. Et il y avait, l'autre, le mort, par terre. « On le remonte ? » j'ai dit, pour penser aussitôt qu'il valait mieux ne rien toucher désormais. Les fils du téléphone étaient coupés, j'ai pris un couteau, dénudé les deux côtés, et rabouté les fils. Un moment, dans le creux de la nuit, il s'était saisi de l'appareil muet, et de rage l'avait jeté contre le mur, près de ma tête. Le plastique était fêlé, mais la tonalité s'est faite, ça marchait. J'ai fait le 15, ou le 17, ou le 18, je ne sais plus, c'était par réflexe et je n'ai même pas demandé qui était à l'autre bout. J'ai dû dire : « Vite, il y a un mort, il faut venir vite. » Les deux filles n'avaient pas encore fait un geste. Et dans ma tête je me surpris à avoir fait mentalement l'inventaire de ce que j'aurais ici à reprendre et emporter : continuer n'était pas possible. Puis ils sont tous arrivés en même temps et on n'avait plus rien à faire, que répondre. Et eux surpris qu'on ait si peu à dire, qu'on réponde si bref : est-ce que tout ça n'était pas dans la tête, et pour chacun ? Avant de partir j'avais demandé à changer de pantalon. Aujourd'hui je suis marié, j'ai deux enfants, et je travaille à la succursale Renault du Mans, je n'ai pas oublié mais c'est derrière moi, résolument.

La femme. Arne avait parlé toute la nuit. Quelquefois de nous et ce qu'il y eut de bien, Uzès et la suite. Quelquefois de lui seul et de cette ville d'Allemagne où il m'avait emmenée, des hommes qui boivent au fond des rayons de magasin leurs verres de schnaps en ressassant les années troubles, et son père dans cette usine de séparateurs où il voulut aussi entrer était de ceux-là : et disant que cette réalité-là n'a pas de frontière (et nous-mêmes dans les galeries perdues du travail anonyme que faisions-nous d'autre ? cet appartement de Marseille dans son étage c'était les mêmes étagères de pièces détachées au fond des ateliers). S'adressant à Joël l'ami de Cathou, comme s'il était mieux capable de le comprendre qu'elle et moi. Et ce qu'il lui disait était sale. Ce qu'avec moi il avait vécu, se complaisant à des descriptions précises qui sont ce qu'on ne s'avoue pas, lors même qu'on n'est que deux à le savoir et le vivre. Et salissant Cathou, et mettant devant elle ce qu'il en avait été de moi, et me livrant ce qu'avec elle il prétendait avoir fait. Nous ne nous sommes plus parlé. On est sur des plaques tournantes, qui vous dispersent sans que jamais plus on se croise. Et si un hasard, sans qu'on y pense, ou jamais exactement comme on l'aurait pensé, vous remet en présence, on est bien surpris de découvrir que l'autre à ce moment-là ne pense pas et ne voit pas, n'est pas dans cette situation d'attente où c'est soi-même que toujours on cherche. Au procès j'ai revu Cathou et on s'est fait la bise sur les joues, quatre fois comme toujours dans nos villes d'Ouest. Elle travaillait toujours dans cet établissement de la place de l'Europe, même elle le dirigeait maintenant : plutôt que la bière aux appelés du contingent, faisant dans le repas de midi pour employés à ticket-restaurant. La caserne Verneau (elle s'appelle donc toujours caserne Verneau) avait vu se diviser par trois son effectif. Catherine dans sa minceur même avait quelque chose de raide qui n'était pas une marque de réserve à moi destinée, pour tout ce que nous n'avions jamais après cette nuit-là discuté ou partagé ensemble. Et peut-être elle aura pensé la même chose de moi : « Tu es donc à Paris ? Et que fais-tu là-bas, maintenant à Paris ? Est-ce Paris même ? » Et moi de répondre évasivement : si elle n'a pas pensé à me demander mon adresse, je n'ai pas fait l'effort de la lui proposer. On marche devant soi les mains tendues, et sans distinguer de détail. Un jour peut-être des formes palpables viendront sous vos doigts se glisser.

L'homme. Non, pas de remords. J'aurai donc quarante-deux ans, la porte s'ouvrira et j'aurai sur moi et dans mon sac ces habits simples qu'ici on peut se procurer avec le pécule. J'ai monté et emballé des petites voitures miniatures, et dans ma cellule je garde un exemplaire de chaque modèle. Il y a aussi une Mobylette « à la française » (c'était écrit comme ça sur la boîte). J'aurai quarante-deux ans et j'aurai cette Mobylette dans son carton rouge, au fond de mon sac. La porte se fermera et j'aurai des papiers en règle. Il faudra choisir entre la route de Marseille, via Romorantin, ou celle du Rhin. On vous garde immobile, et rien n'a d'existence plus solide qu'un de ces livres faciles, lus cent fois et noircis, qu'on prend parfois pour un samedi soir dans les rayons loisirs de la centrale : est-ce que cela fut ? Il y a un brouillard, et dans ce brouillard on s'appuie sur une réalité : cette route faite en Mobylette. Avoir beaucoup pensé. On se rejoue ce qui s'est passé, comme une boucle infiniment déroulante, parce que c'est à vous, votre possession propre et tout votre bagage. Encore, jamais la scène en entier : on n'en supporterait pas le souvenir. Plutôt par morceaux qui ne s'assemblent plus jamais en un seul. A tous les hommes il faut de l'air, de l'air avant tout : on respire dans la grande cour, où les autres tapent la boule ou jouent selon les modes au handball ou au foot. Celui qui a planté un tournevis dans le ventre d'un autre ils lui fichent la paix. Et on est parfois sur des sommets paisibles, d'où on laisserait tomber sur eux des paroles pleines de sagesse, s'ils voulaient entendre. Les trois vivants ne comptent pas. A ce type que j'ai frappé je parle : on se serait faits copains tous les deux. Il était sur une route de traverse, on n'est pas si nombreux à y ballotter, capables de partir un soir à la remorque d'une idée de hasard. Ici les rêves prennent parfois un relief extraordinaire et ressemblent à s'y méprendre à la réalité qu'ils remplacent. Le coup de tournevis, alors porté à mon meilleur ami, un ami de longue date, légitime communion, geste qui nous a fondus. Son regard d'une seconde, un éclair qui s'allume dans des yeux ternes. On vit avec ces yeux et l'illusion que celui-ci avait décidé de tout comprendre. Un jour, devant la porte, à quarante-deux ans, mon sac à la main, je lui rendrai visite où il sera, sous une croix. Au procès elle me regardait peu (l'autre, sa copine, ne comptait pas, n'a jamais compté). Et quand une fois, une seule, j'ai pu croiser son regard, il était loin : comme on regarde une chose étrangère, un plan de ville pour le comprendre. Un regard fonctionnel, où tout ce qui était de nous était désormais arraché. D'elle à moi la déchirure faite, et désormais supporter seul celui qu'on est dans son sac de peau. Celle à qui on dit : entends-tu que je t'appelle, que depuis toujours je t'appelle ? J'avais perdu. A tout ce qu'on vous dit, répondre : je ne sais pas, *weiss ich nicht*. Il paraît qu'au procès j'ai pleuré.

CET OUVRAGE A ÉTÉ ACHEVÉ D'IMPRIMER
LE DOUZE FÉVRIER DEUX MILLE SEPT DANS LES
ATELIERS DE NORMANDIE ROTO IMPRESSION S.A.S.
À LONRAI (61250) FRANCE
Nº D'ÉDITEUR : 4379
Nº D'IMPRIMEUR : 070017

Dépôt légal : février 2007

DU MÊME AUTEUR

Aux Éditions Verdier

L'enterrement, *récit, 1991, (Folio 1994)*.
Temps Machine, *récit, 1992*.
C'était tout une vie, *récit, 1995*.
Prison, *récit, 1998*.
Paysage Fer, *récit, 2000*.
Mécanique, *récit, 2001*.
Quatre avec le mort, *théâtre, 2002*.

Aux Éditions Fayard

Rolling Stones, une biographie, *2002, (Livre de Poche, 2004)*.
Daewoo, *roman, 2004, (Livre de Poche, 2006)*.
Tous les mots sont adultes, *édition refondue et augmentée, 2005*.

Aux Solitaires Intempestifs

Pour Koltès, *essai, 2000*.
Quoi faire de son chien mort, *théâtre, 2004*.

Aux Éditions Cercle d'art

Billancourt, *sur des photographies d'Antoine Stéphani, 2004*.
Petit Palais, *sur des photographies d'Antoine Stéphani, 2005*.

Aux Éditions Flohic

Dehors est la ville, *essai sur Edward Hopper, 1998*.

Aux Éditions Tapuscrits / Théâtre Ouvert

Qui se déchire, *théâtre, 1999*.
Bruit, *théâtre, 2000*.

Aux Éditions Gallimard Jeunesse

Dans la ville invisible, *roman, 1993*.

Aux Éditions Seuil Jeunesse

30, rue de la Poste, *roman, 1996*.
Autoroute, *roman, 1998*.